【図解】

ニュースの“なぜ？”は世界史に学べ！

茂木誠 著

01 世界各国

なぜ世界からニュースの火種が消えないのか？

世界情勢のニュースが流れない日はない。なぜ今も世界中で紛争や経済衝突が起こり続けるのか。火種の元は世界の歴史の中にあることを知ろう。

世界の〝なぜ？〟に興味を持って掘り下げてみる

新聞やテレビ、あるいはネットニュースでは日々、世界のさまざまな〝出来事〟が取り上げられています。

アメリカとイランの対立で緊張が続く中東情勢。民主化デモに端を発した混乱が収まらない香港、イギリスのEU離脱、ロシアによるウクライナ侵攻とクリミア併合に端を発しトランプ大統領の弾劾問題に飛び火したウクライナ危機――。

どのニュースも今後の世界に大きな影響を及ぼしかねないものだけに、興味や不安を持ちながら眺めている人も多いでしょう。**そうした出来事が「なぜ」起こっているのか、誰が「何のために」やろうとしているのか、**その「背景」まで理解できれば不安から解放され、未来予測もある程度は可能です。

香港デモ 「逃亡犯条例」改正案の撤回を求めデモ行進する人たち

「世界の常識」を知ればニュースの解像度が上がる

たとえば、次の問いにみなさんは答えられるでしょうか？

- **中東で紛争が起こり続ける本当の理由は**
- **ウクライナ危機がなぜ世界を揺るがすのか**
- **北朝鮮はなぜ中国の言いなりにならないのか**

どれもなんとなくニュースを追っているだけでは、その出来事や問題の「本質」はつかめません。本質をつかむためには、その前提となる歴史や背景を知っておく必要があります。

しかし「公正中立」に縛られている学校教育では、さまざまな利害関係がうず巻く国際情勢理解に欠かせない歴史や宗教を含めた「世界の常識」をきちんと教えていません。

「ユダヤ教、キリスト教、イスラム教の違いは何か」「ロシアと中国に民主主義が根付かない理由は」

こういった**「世界の常識」を知っておくだけで、国際情勢に関するニュースの解像度が鮮明に**なってくるのです。

世界経済や世界情勢を動かす根本的な火種を知る

ニュースとなる世界のさまざまな出来事には、どれも必ず要因となる〝火種〟があります。突発的に見える事件にも伏線があるように、それぞれの国々や民族の長い歴史とその経緯、つまり**世界史の中にずっと火種がくすぶっているのです。**

出来事の元となる火種を知っておくと、混迷を極める世界の動きの意味するものや影響を受けるものが見えてくるはず。

本書はシリーズ計13万部を超えた『ニュースの〝なぜ？〟は世界史に学べ』をベースに、図解や写真を大幅に加えてより理解を深められるように制作しました。大型図解版の本書を通して、世界のニュース現場をより深く鮮明に見渡せるようになってもらえればと思います。

難民キャンプで不安な日々を過ごす人々

なぜ世界からニュースの火種が消えないのか？

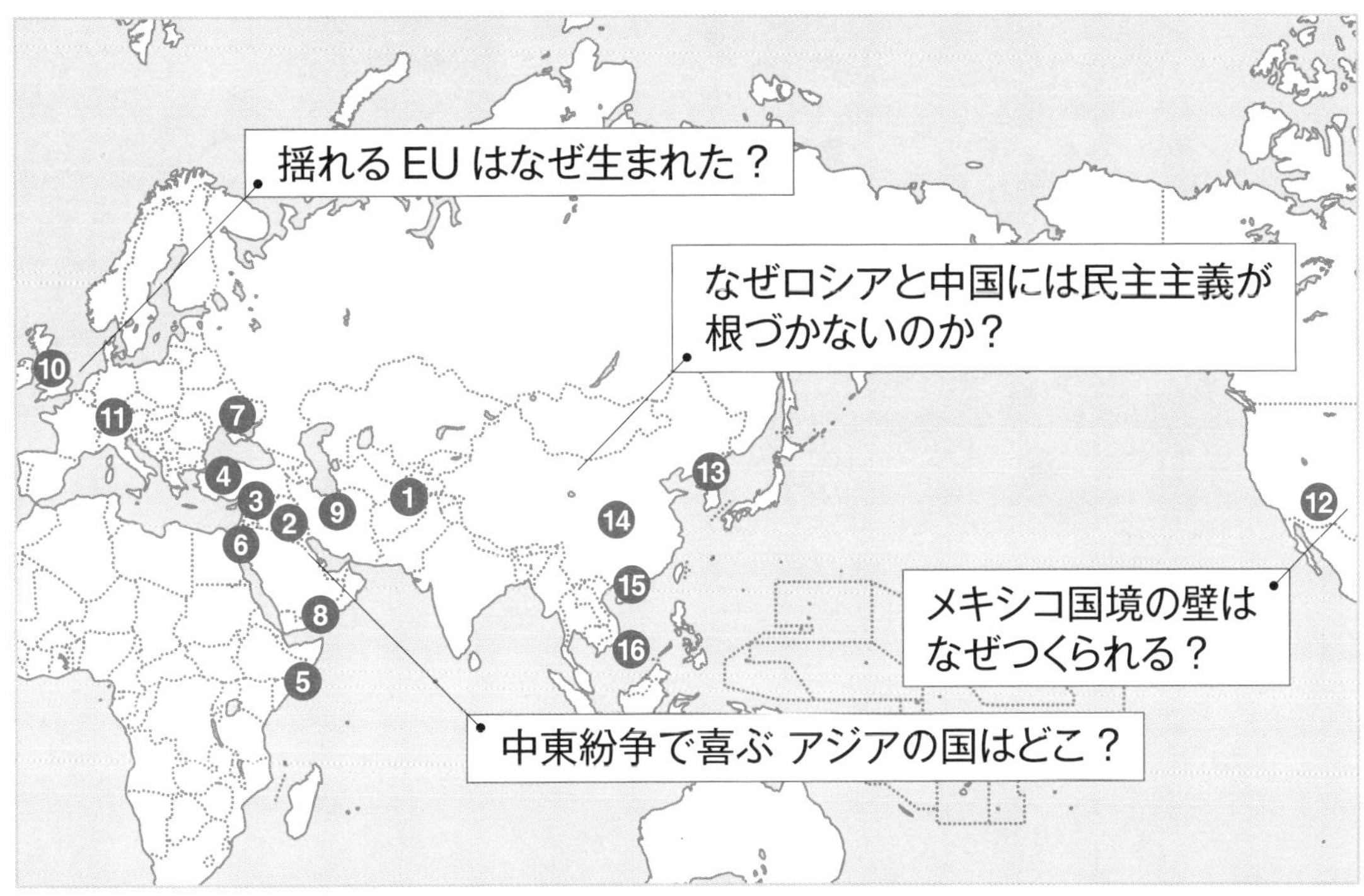

2ページの写真（上）Ⓒ共同通信社、（下）Ⓒロイター＝共同

中東

6 中東各国の国境線が不自然な直線なのは

7 湾岸戦争のアメリカの不都合な真実

8 ISが世界の若者をひきつける本当の理由

9 イランの核疑惑は何を引き起こすのか

10 トルコはイスラムかヨーロッパか

11 ロシアが中東に熱を入れるのはなぜか

弾薬庫となった歴史と真実

第1章

世界の中東の

過去、欧米など大国の「利益の綱引き」に振り回されてきた中東。世界の覇権が移り変わる中、ロシアや中国など新たな大国の思惑で火種が絶えない。

02 中東

中東紛争で喜ぶアジアの国とは？

イランとアメリカの緊張状態など中東紛争を中国は注視。アメリカが中東に戦力を注ぎ込むほど東アジアへの拡大戦術を取りやすくなる。

中東紛争で喜ぶ、アジアの国はどこか？

イランとアメリカの緊張状態が続いています。核開発の野心を隠さず、**革命防衛隊**を通じて中東各地に「革命の輸出」を続けたきたイラン。その革命防衛隊の対外工作部隊を指揮する**ソレイマニ司令官**の車両を米軍がミサイルで爆殺。トランプ米大統領の命令でした。

中東に米軍が張りつくことになると、喜ぶ国が東アジアにあります。

中国と北朝鮮です。アメリカの軍事力がいくら強力だといっても、二正面作戦は避けたい。中東で戦争が始まったら、どうしても東アジアの戦力は手薄になります。**ブッシュ・ジュニア政権**がイラク戦争で手一杯になった結果、中国が南シナ海へ進出し、北朝鮮が水爆開発に着手したのです。

これは、日本にとっても重大な事態です。中国とは尖閣諸島やガス田問題を抱えています。**トランプがイスラエルに肩入れしすぎれば、日本の安全保障にも影響が及ぶ可能性がある**のです。

アメリカの中東に対する政策に関しては、オバマが正しかった、というのが私の意見です。中東の紛争から手を引かなければ、アメリカは泥沼にはまっていくだけです。トランプも中東からは撤収する方針ですが、イスラエルに肩入れする米国内の福音派の支持が必要なのです。

イスラエルとの戦争は、イランに何をもたらすのか？

イスラエルには二大政党があり、２００９年から長期政権を担ってきたのが**シオニスト強硬派のリクード政権**で、ベンヤミン・ネタニヤフが首相を務めています。ネタニヤフはイスラエルをサポートしないオバマを毛嫌いしていましたが、トランプが大統領になってからご機嫌です。

「私はクシュナー君が小さい頃から知ってるんだ」と浮かれ気味です。

「クシュナー君」とはトランプの娘婿でユダヤ系の**ジャレット・クシュナー大統領上級顧問**のこと。トランプの娘イヴァンカも結婚に際してユダヤ教に改宗しています。

イラン革命防衛隊のソレイマニ将軍殺害によって起きた反米デモ

ここで「**ユダヤ陰謀説**」にも言及しておきます。**世界はユダヤ人が仕切っているという俗説ですが、ユダヤ人は一枚岩ではありません。**ニューヨークの国際金融資本の多くがユダヤ系であるのは事実で、彼らはクリントン、オバマの民主党政権を支持してきました。国境線を無効化しようという、いわゆるグローバリストです。これに対し、「イスラエル国家」の存続に命をかけるナショナリストのユダヤ人もいます。彼らを**シオニスト**といい、**トランプ政権を支持しているのはシオニストの方です。**

ソ連の支援を受けてきたアラブ強硬派政権は、ソ連の崩壊で共倒れとなりました。**今、イスラエルを攻撃する能力をもっているイスラムの国は、イランだけ**です。他のアラブ人の国家は核をもっていませんし、過去の中東戦争では、ほぼ全敗しています。

しかし、ペルシア人国家であるイランは核を開発しています。イランは、だらしないアラブ諸国に代わるイスラム世界の盟主を自負していますから、「イスラエルが悪さをしたら、俺たちに任せろ」というわけです。

実際、**イスラエルを押さえ込めれば、実質的にイランは中東で覇権を握ることができます。**イスラエルに痛めつけられてきたアラブの民衆も「イラン万歳」を叫ぶでしょう。実際に、ヒズボラというレバノンの武装組織は、アラブ人にもかかわらずシーア派であり、イランに忠誠を誓っています。

中東紛争で存在感を増すイラン

莫大な石油資源。オバマ政権の経済制裁解除で海外から投資資金が舞い込む。イスラム教シーア派が大多数を占め 国内も一枚岩。人口8000万人

イラン

シーア派 90〜95%

イスラエル

ペルシア湾

シーア派 65〜75%

バーレーン

カタール

ペルシア湾岸諸国はイラン勢力圏シーア派も多い

アラブ首長国連邦

カタールがアラブ諸国から断交されたのはなぜか?

中東では、近年イランが存在感を増しています。イスラエルだけでなく、アラブ諸国もイランを警戒しています。

実は今、**「反イラン」という意味ではイスラエルとアラブ諸国は共通している。**もちろん、イスラエルとアラブ諸国が「一緒に戦いましょう」ということは絶対にありませんが、腹の中では「反イラン」の立場で互いに利用できないかと思っているのです。

イランが、近年イスラム世界で存在感を増している要因は、石油と核だけではありません。

イランは国民が一枚岩になりやすい、というのも大きな要因です。他のアラブの国では国内に複雑な宗派対立、部族対立があって、天然資源が豊富であってもその配分がうまくいきません。イラクの場合、イラク戦争でサダム・フセイン政権が倒れたあと、**シーア派、スンナ派、クルド人の三つどもえの内戦**になりました。

一方、イランはほとんどがイスラム教のシーア派ですから、国が宗教で割れることはありません。また、イラン人はみんなペルシア語を話していて、歴史的にも国内紛争がほとんどなく、まとまりがいいのです。イランの人口は約8000万人と、イラクやサウジアラビアの倍以上の人口を抱えているのも、圧倒的に優位です。

サウジの東側、ペルシア湾岸の油田地帯には、バーレーン、カタール、アラブ首長国連邦などミニ国家が連なっています。**歴史的にはイランの勢力圏**でシーア派も多く、植民地時代にイギリスが油田を確保するため現地の部族長を懐柔して、独立を認めたのです。

半島国家のカタールは隣の大国サウジアラビアにのみ込まれまいと、イランに接近しました。中国につくか、アメリカにつくか、コウモリ外交を続ける韓国そっくりです。

また、先代の国王が開明的な方で、CNNをモデルにアラビア語の24時間ニュース・ネットワークである**アルジャジーラ**を開設し、テロ組織のビデオメッセージから、サウジ王族のスキャンダルまで、検閲なしにどんどん放映して視聴率を稼ぎ、サウジを苛立たせてきました。サウジアラビアの実権を握るムハンマド・ビンサルマン王子は、2017年にトランプ大統領を招き、アラブ諸国の指導者を集めて結束を誇示し、その直後にカタールを「テロ支援国」と決めつけて国交を断絶、水や食料の供給を停止しました。「イラン側についたら、締め上げるぞ」と脅し、他の湾岸諸国への見せしめとしたのです。

イラン革命防衛隊が米軍機と誤認して撃墜したウクライナ航空機

6ページの写真 ©DPA/共同通信イメージズ、7ページの写真 ©ゲッティ=共同

03 中東

イランとサウジアラビアはなぜ敵対？

ロシアとの関係性も良くアメリカとの関係悪化も安泰なイラン。シーア派が多い東部油田地帯を抱えるサウジアラビアの憂いは消えない。

アメリカとサウジアラビアの関係はなぜ改善したか？

イスラム教の二大宗派のうち、シーア派の盟主はイランですが、**スンナ派の盟主はサウジアラビア**です。基本的にサウジアラビアは、トランプ誕生を喜んでいます。

トランプがイランを敵視し、両国の関係が悪化しているからです。

聖地メッカを擁するサウジアラビアは、アラブおよびスンナ派のボス的存在です。だから、シーア派でペルシア民族のイランとは対立関係にあります。

ところが、オバマ政権はイランとの核合意を成立させて、経済制裁を解除しました。

サウジアラビアからすれば、「裏切られた」という感覚でした。建国以来、**サウジアラビアはずっと親米の立場でした。なぜなら、サウジアラビアの石油を開発したのはアメリカの企業で、そのおかげでサウジアラビア経済は大いに潤ったか**らです。しかし、オバマ政権の時代は、例外的に険悪な関係になっていました。

一方、トランプはイランとの核合意を破棄しました。サウジアラビアにとっては愉快な展開です。「敵の敵は味方」ですから、トランプ政権がイランに関して方針転換をしないかぎりは、サウジアラビアとアメリカの関係は修復に向かうでしょう。

イランとサウジアラビア、中東の覇者はどちらか？

イランはロシアと協力してシリア問題に関わるなど、中東での存在感を増しています。

これまでは核疑惑による経済制裁によって伸び悩んでいましたが、もともと**ポテンシャルが高い国**です。天然資源は多く、人口も多いので経済成長も期待されています。

ロシアとの関係も良好なので、アメリカとの関係が悪化してもイランは安泰です。問題なのは、アラブの盟主・サウジアラビアのほうです。

スンナ派のサウジアラビアは、もともと人口が少ないこともあって、**サウジアラビアの東部には、シーア派であるイランの影響力が及び始めています**。

アラブ人にもシーア派の人がいて、サウジアラビアの湾岸地域に多く住み着いているのです。イラクも**イエメン**もシーア派が多数派で、イランの革命防衛隊が活動しています。

サウジアラビアの東海岸は世界有数の油田地帯です。反対に、西側からは石油はほとんど出ません。

だから、**イランは、サウジアラビア東部に住むシーア派の住民を束ねて自分たちの影響下に置くことを狙っています**。

油田地帯がシーア派の影響下に置かれたら、サウジアラビアの王室は終わりです。**サウード家**が支配する**サウジアラビアは、石油で稼いだお金を国民に還元することで成り立ってきた独裁国家です**。選挙で選ばれたわけではありませんから、石油を自由にできなくなれば権威は失墜します。仮に選挙をしても、石油を押さえたシーア派の住民が「オレたちは独立する」といい出

絶大な権威を誇るサウジアラビアのムハンマド王子

せば、イラクのように分裂します。

その点、イランは制限付きですが、民主主義の国です。大統領も選挙で選んでいます。

アメリカは長い間、サウジアラビアの**サウード家独裁政権**を支援し、民主主義のイランを散々叩いてきました。

しかし、アメリカが大好きな「民主主義が正しい」という価値観で判断するとすれば、イランの台頭を防ぐことはできないはずです。そういう意味では、オバマがイランと核合意を締結し、関係改善を図ったのは真っ当な判断だったといえるでしょう。

ところが、トランプはイランとの核合意を破棄し、イスラエル寄りの態度をとっているのです。

中東盟主の争い　イランvsサウジアラビア

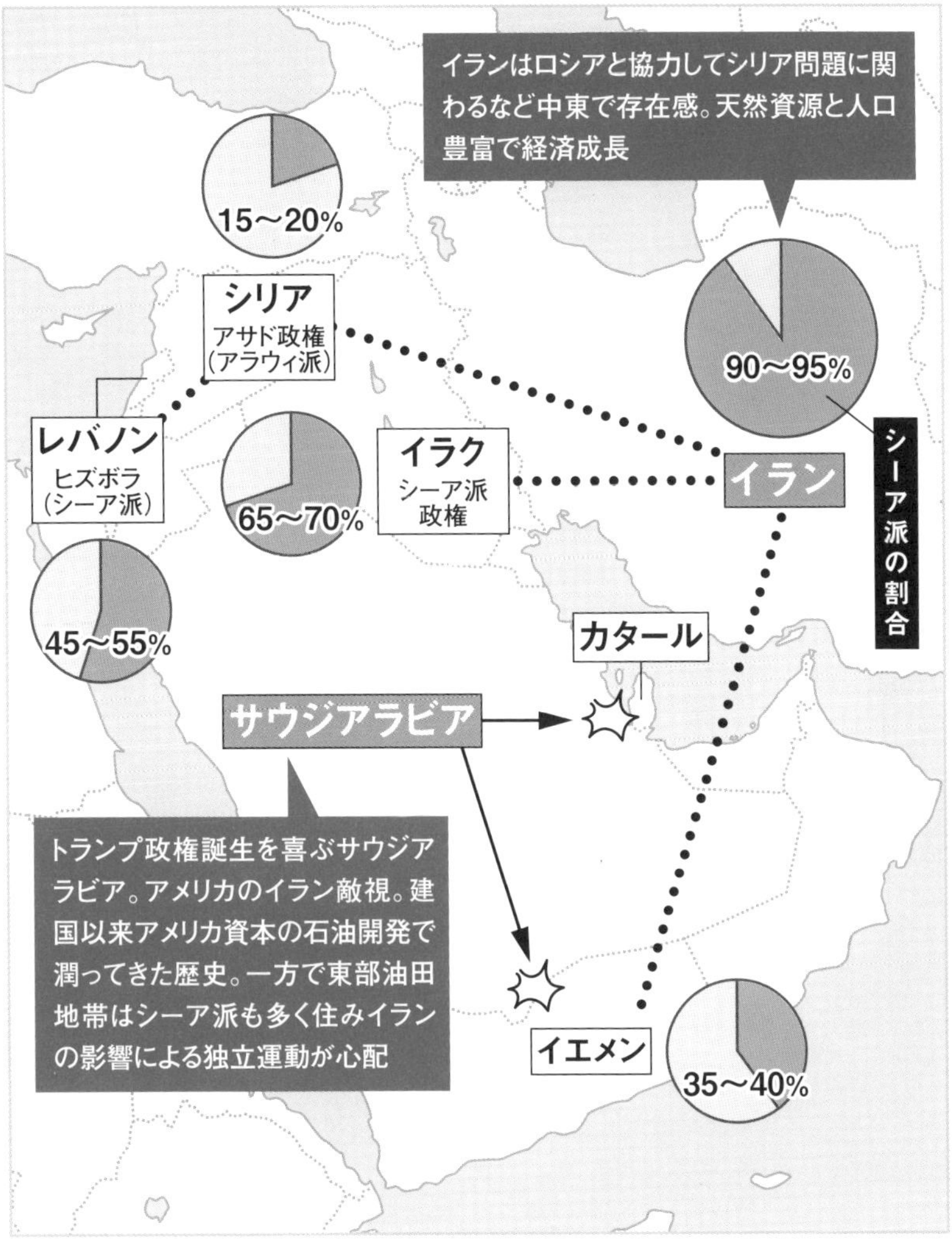
イランはロシアと協力してシリア問題に関わるなど中東で存在感。天然資源と人口豊富で経済成長
15～20%
シリア
アサド政権
（アラウィ派）
90～95%
シーア派の割合
レバノン
ヒズボラ
（シーア派）
65～70%
イラク
シーア派
政権
イラン
45～55%
カタール
サウジアラビア
トランプ政権誕生を喜ぶサウジアラビア。アメリカのイラン敵視。建国以来アメリカ資本の石油開発で潤ってきた歴史。一方で東部油田地帯はシーア派も多く住みイランの影響による独立運動が心配
イエメン
35～40%

イラクは、アメリカとイラン、どちらにつくのか？

トランプが大統領になったことで影響している国がもうひとつ。

イラクです。**イラクはアラブ人の国ですが、シーア派政権**です。つまり、イラン寄りなのです。

一方で、イラクは親米政権でもあります。イラク戦争でサダム・フセインを倒したのはアメリカですから、イラク政府のバックにはアメリカがついています。

つまり、今のイラク政府には、アメリカとイラン、親分が2人いるということになります。イラクの立場になれば、親分のアメリカとイランがうまくいっていたオバマ時代はよかったけれど、トランプになってケンカが始まってしまった。どちらにつこうか……。さあ、困った。こういう状況です。では、イラクは実際、どちらにつくのでしょうか。結局、最後は強いほうにつく。

アメリカが引けば、イランにつく。それが現実的な選択です。

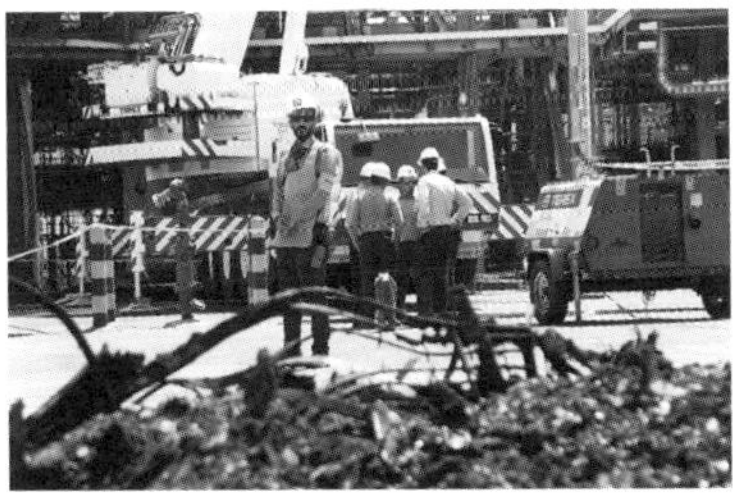
イエメンの親イラン反政府武装組織の攻撃を受けたサウジアラビアのクライス油田

10ページの写真　©ロイター＝共同、11ページの写真　©共同通信社

04 中東

イスラム教とIS、革命防衛隊は、どう関係する？

イスラム教の2大宗派シーア派とスンナ派。血統を重視するシーア派と教典を重視するスンナ派が対立。スンナ派の過激派がISに。

シーア派とスンナ派は何が違うのか？

イスラム教には、シーア派とスンナ派（スンニ派）という二大宗派があります。

シーアは「党派」の意味、スンナは『**コーラン**』に次ぐ経典の名称です。スンナを重視する者（スンナ派）のことを「スンニ」といいます。

だから「スンニ派」という言い方は「スンナ派派」という奇妙な訳になるのですが、マスコミ用語として定着してしまいました。本書では、「スンナ派」で統一します。ちなみに**イスラム教徒の90%がスンナ派、10%がシーア派**といわれるように、シーア派は少数派です。

両者の違いを理解するには、イスラム教の成立にまでさかのぼる必要があります。

アラビア語で唯一の神のことを「**アッラー**」と呼びます。世界をつくったアッラーのお言葉を受け止めて正しく生きなければならない、というのがイスラム教の教えです。ところが、普通の人間はアッラーの言葉をじかに聞くことができません。

しかし、たまに「ものすごく能力の高い人」があらわれて、アッラーのお言葉を人々に伝えていました。**イスラム教では、このような超能力者のことを「預言者」**と呼んでいます。神のお言葉を「預」かるから、預言者というわけです。

イスラム教徒にとっては、ユダヤ教の指導者であるモーセも、イエス・キリストも預言者の一人という位置づけになります。そして、最後の預言者としてあらわれたのが**ムハンマド**。その**ムハンマドが語ったアッラーのお言葉をまとめたのが『コーラン』**だと、イスラム教徒は考えます。

それでは、最後のメッセンジャー（預言者）であるムハンマドが亡くなったあと、イスラム教徒たちは何を拠りどころにしたのか。

ムハンマドの血統を重視するのがシーア派、教典を重視するのがスンナ派です。

シーア派の特徴とは？

「アリーの党派（シーア）」というのがシーア派の語源です。

ムハンマドが亡くなったあと、娘婿のアリーという人物がムハンマドの後継者となった、というのがシーア派の考え方です。

アリーとは、ムハンマドの従兄弟。ムハンマドは、幼いときに父親を亡くしていて、叔父に引き取られました。その叔父の息子がアリーです。だから、2人は一緒に生活をしていて、ムハンマドはアリーを実の弟のようにかわいがっていました。ムハンマドには2人の息子がいたのですが、2人とも早くに亡くなっています。そこで、アリーを自分の後継者にしようと考え、自分の娘であるファーティマの娘婿としてアリーを迎えたのです。従兄弟でもあり、娘婿でもある。このエピソードからも、ムハンマドがアリーを寵愛していたことがわかりますよね。

ムハンマドの後継者であるアリーは、その後、側近に暗殺されてしまうのですが、直系子孫が12代まで続きます。**シーア派は、アリーを初代として、12人の子孫たちを「イマーム」（指導者）と呼んでいます。**

イマームたちは、ムハンマドから受け継いだ特殊な能力をもつとされていて、アッラーのお言葉を聞くことができる。シーア派の人々はイマームを神の代理として心から尊敬していたのです。

シーア派は多数派のスンナ派に迫害されてきました。

スンナ派政権から見れば、シーア派のイマームは「お尋ね者」ですから、ほとんどのイマームが暗殺、戦死、行方不明など非業の最期を遂げています。シーア派はイマームたちの殉教を悼む祭りを盛大に行い、イマームの墓所を聖地として巡礼します。

ところが「第11代イマームが亡くなったのち、第12代イマームである「アル・マフディー」は、5歳の少年の姿のまま、どこかにお隠れになり、今でも隠れているというのです。これを「**隠れイマーム**」といいます。

「第12代イマームであるアル・マフディーこそが最高指導者である」と、血統を重視するのがシーア派なのです。

イスラム教のシーア派とスンナ派

シーア派

血統を重視。最後の預言者ムハンマドの後継者をイマーム（指導者）と呼ぶ

最後の12代イマームは5歳で「お隠れ」になり、再臨される日まで法学者が代理人として国を治める

シーア派の盟主
イラン

スンナ派

教典を重視。ムハンマドが語ったアッラーのお言葉をまとめた「コーラン」に従う

コーランとムハンマドの行動（しきたり）＝スンナに従う者であれば誰でも指導者になれる

スンナ派の盟主
サウジアラビア

シーア派の大国といえば、イランです。1979年に王政を倒したイラン革命を指導して最高指導者となったのが、ホメイニという人物。彼はシーア派の法学者で、**「お隠れになっている第12代イマームの代理人として、国を治める」という名目で権力を握ったのです。**

アル・マフディーがお隠れになった8世紀から現代まで、実際にシーア派の指導者として君臨してきたのは、ホメイニのようなイスラム法学者。いつの時代も、学識があって人々の尊敬を集めていた法学者たちが、イマームの代理としてシーア派を率いてきました。

スンナ派の特徴とは?

血統を重視するシーア派に対して、スンナ派は、教典を重視します。

ムハンマドが語ったアッラーのお言葉を、弟子たちがまとめたのが、『コーラン』です。

そもそも神のお言葉というのは、非常に断片的であって、何を言っているのかわからない部分も多くあります。

たとえば、「女性は美しいところを隠しなさい」という神のお告げがあります。

しかし、どの部分が美しいかは、人によってとらえ方が異なります。そこで、ムハンマドが「このお言葉は、こう解釈したらいい」と説明したり、実際の行動で示したりした。弟子をはじめ教徒たちは、ムハンマドの言行に従って行動するようになり、やがてそれがイスラム教徒の慣行となっていきました。このような慣行や慣例、しきたりのことを、『スンナ』というのです。

したがって、**『コーラン』とスンナに従うイスラム教徒であれば、たとえムハンマドやアリーの直系子孫でなくても指導者になれる、というのがスンナ派の基本的な考え方**です。これが、「スンナ派は教典を重視する」といわれるゆえんです。

スンナ派は、「ムハンマドは最後の預言者であるから、そのあとの預言はない」と考えます。「預言のすべてはコーランに書いてあるから、これを研究して守ればいい」という考え方です。非常に合理的な考え方といえます。

一方、シーア派の思想は、極めて神秘的です。お隠れになっている5歳の少年が最高指導者（イマーム）だと信じているわけですから。

合理的なスンナ派からすれば、神秘的なシーア派は理解しがたい存在です。

「隠れイマームという存在自体も怪しいし、12人のイマームたちが特殊な能力をもっていたことは証明できない」と考えます。中でもスンナ派の過激派が、アルカイダやISといったテロ集団を組織し、キリスト教徒やシーア派を攻撃してきました。

これに対してイランのシーア派政権は革命防衛隊を組織し、ソレイマニ司令官はシリアでISと戦いました。米国は対IS戦では革命防衛隊を利用し、ISがほぼ壊滅すると革命防衛隊をテロ組織と認定したわけです。

05 中東

ISとイスラム原理主義とは？

イスラム原理主義を唱えるスンナ派の過激派が「異端」のシーア派を攻撃。スンナ派に多い西側文化の影響を受けた世俗主義とも対立。

「イスラム原理主義」とは何か？

スンナ派のイスラム教徒はみな、ISのような過激派なのかといえば、もちろん、そんなことはありません。

イスラム教徒の90％を占めるといわれるスンナ派の大多数は、ISの暴力や犯罪行為を嫌悪している穏健派です。ISに参加している戦闘員は、スンナ派のほんの一部の「**イスラム原理主義者**」と呼ばれている人たちです。

世界中でテロ行為を繰り返している**アルカイダ**も、イスラム原理主義の過激派組織なのです。

「**原理主義（ファンダメンタリズム）**」は、**もともとキリスト教徒の過激派を指す言葉でした。『聖書』だけを正しいと考え、地動説も進化論も認めないような人たち**です。イラン革命以後、欧米化に反対してイスラム復興を主張する運動のことを欧米メディアが「イスラム原理主義」と呼ぶようになったのです。

すべてのイスラム原理主義者がテロを容認する過激派なのではありません。エジプトを中心に活動している**ムスリム同胞団**のような、穏健な団体もあります。しかし、イスラム過激派の思想的な根っこの部分に、イスラム復興運動があることは否定できません。本書ではこの思想のことを、「イスラム原理主義」と呼びます。

『コーラン』などの経典がまとめられたのは、7世紀のことです。

いくら『コーラン』に従うことが大事だといっても、時代は移り変わります。7世紀の教典に書いてあることが、時代にそぐわなくなることもあるでしょう。

7世紀といえば、日本だと飛鳥時代。『万葉集』の時代のしきたりやルールを現代に適用しようとすれば、当然、無理な部分も出てきますよね。たとえば携帯やパソコンはムハンマド時代にはなかった。そこで、これらを使うことは、教典に反するのかどうか、イスラム法学者が集まって真剣に議論するわけです。

すると、**スンナ派の間でも「時代によって、もっとフレキシブルに教典を解釈してもいいではないか」という考え方も生まれてきます**。このように現実に合わせて教典の解釈を変えていく考え方を「**世俗（せぞく）主義**」といいます。スンナ派のほとんどは世俗主義で、西欧文明の良いところも受け入れていこうと考えます。

この**世俗主義に真っ向から対立するのが、イスラム原理主義**。

イスラム原理主義者たちは、「7世紀の教典で決められたことを変えてはいけない」というスタンスをとっています。

同じスンナ派同士でも、世俗主義とイスラム原理主義とはまったく相容れないのです。

『コーラン』を勝手に解釈する人間は、「裏切り者」である、「解釈改憲」は許さない、となるわけです。

彼らが仲間同士ですさまじい粛清を行っている理由も、ここにあります。

一般に、敵よりも味方の裏切りのほうが頭にくるものですが、ISも同じスンナ派の裏切り者に対しては容赦しないのです。

「イスラム原理主義」が生まれたのはなぜか？

イスラム原理主義の台頭は、現代にかぎった話ではありません。

世の中が平和なときは、世俗主義が主流の国や社会はうまくまわります。大多数の人が幸せに暮らすことができていれば、国に対する不満や危機感は生まれにくいですよね。

　ところが、イスラム世界が危機に陥ると、「このままではいけない」と、イスラム原理主義のような過激な思想が一気に台頭してきます。

　イスラム世界が最初に大ピンチを迎えたのは、13世紀の**モンゴル帝国**による侵略です。

　当時栄華を誇っていたイスラム世界は、モンゴル帝国軍によって徹底的な破壊と殺戮を受けました。同じ時期にモンゴル帝国は、日本にも2度にわたって攻め込んでいます。これを元寇といいますが、あれと**同じことがイスラム世界でも起こったのです。**

ISとイスラム原理主義

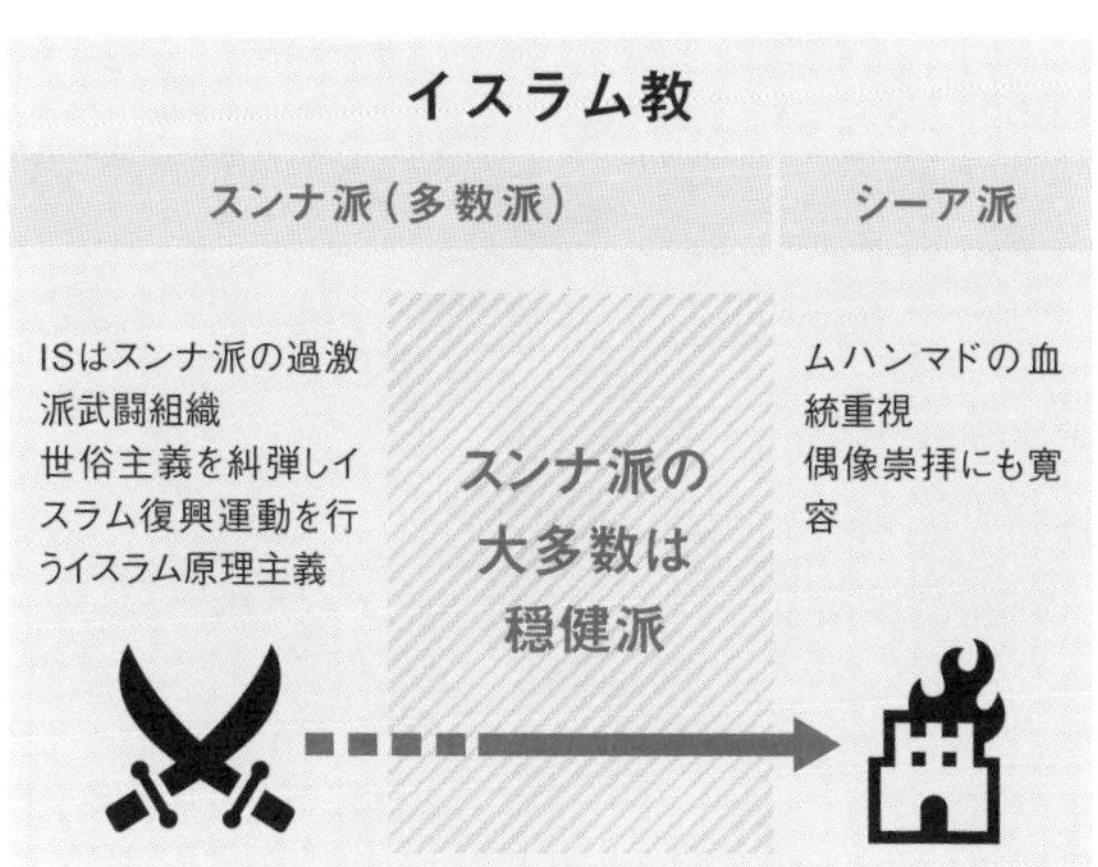

異教徒であるモンゴル人に対して、どう抵抗すべきか模索する中で、イスラム法学者の**イブン・タイミーヤ**という人が、こんなことを唱えます。

「イスラム世界がモンゴル人に攻め込まれているのは、『コーラン』や『スンナ』の教えを軽んじ、われわれが堕落したからに違いない。これはアッラーが与えた罰である。今こそイスラム教徒は教典に立ち戻って、間違った行為を否定しなければならない」

　こうして『コーラン』に書かれていないことは絶対に許されないとし、世俗主義のイスラム教徒と対立していきます。これがイスラム原理主義の源流といわれています。

　イスラム原理主義が再び台頭してきたのは、**トルコ人の王朝・オスマン帝国**による支配を受けていた18世紀です。**オスマン帝国の国教はスンナ派でしたが、ゆるゆるの世俗主義。**

　たとえば、『コーラン』で禁じられていた飲酒も黙認されている状態で、シーア派の信仰も黙認されていました。そうしなければ、さまざまな民族、宗教が混在する広大な領地を支配することができなかった。

断食月にコーランを読むイスラム教徒

　しかし、支配下に置かれたアラブ人にとってはおもしろくありません。特にイスラム教の聖地・メッカがあるアラビア半島のアラブ人たちは、猛烈に反発します。

「預言者ムハンマドがお生まれになった聖地を、ゆるゆるの世俗主義のトルコ人が支配しているのはけしからん」というわけです。

　こうしてアラビア半島で、オスマン帝国の支配から脱しようという**ワッハーブ運動**が起きます。

　ワッハーブとは、18世紀のイスラム法学者で、『コーラン』の専門家だった人物。イブン・タイミーヤから多大な影響を受けたイスラム原理主義者です。

　「今のアラビア半島は、ムハンマドの生まれたときと同じで、アラブ人がまとまっていないからオスマン帝国によって侵略されたのだ」と言って、『コーラン』の教えに立ち返ることを提唱しました。

　ワッハーブの考えに乗っかって、アラビア半島に聖なるイスラム国家を再建しようと立ち上がったのが、アラビア半島中央部のネジド地方を治める豪族サウード家。オスマン帝国が支配するメッカに攻め込むなどして、アラビア半島を統一していきます。これが今のサウジアラビアの起源です。

　こうしたワッハーブの思想の流れをくむのが**ワッハーブ派**で、スンナ派の中でも最も原理主義的な一派です。

　このワッハーブ派を源流として、現代のアルカイダやISといったイスラム原理主義を掲げる過激派組織が生まれることになるのです。

06 中東

なぜアルカイダやISが台頭したのか？

西側と結託して富を独占することへの反発。ヨーロッパ人に勝手に引かれた国境線も元凶となってイラクからISが生まれた。

アルカイダやISが近年、台頭してきたのはなぜか？

イスラム原理主義は、過去に何度も台頭しては消えていったのですが、近年、アルカイダやISなどイスラム原理主義を掲げる組織が勢力を拡大してきたのは、どこに原因があるのでしょうか。

根っこがなければ草木は成長しないように、原因がなければ、イスラム原理主義は台頭してきません。大きな視点から見ると、理由は2つあります。

ひとつは、**イスラム世界の近代化**。**19世紀になるとオスマン帝国は勢力が衰え、ヨーロッパ諸国との戦争に負け続けます**。そして、第一次世界大戦ではドイツと組んで、イギリス、フランス、ロシアを敵にまわすことになり、結果、オスマン帝国は解体されてしまいました。

ヨーロッパの国々の植民地になったイスラム世界には、ヨーロッパの資本や産業が流入してきて、必然的に近代化されていきます。近代化は、すなわち西洋化を意味しますから、**大きな顔をする異教徒の西洋人に対して、イスラム教徒が反発して『コーラン』に戻ろうとするのは当然**です。

ペリー来航に衝撃を受けた幕末の日本人が、「尊王攘夷」を掲げて外国人を襲撃したのと同じメンタリティーです。

もうひとつの理由は、**富の不均衡**です。産業が近代化されれば、西側と結託してうまく流れに乗った人は儲かって、裕福になっていきますが、流れに乗れなかった人は、落ちぶれていきます。近代化によって貧富の格差が広がってしまったのです。

本来、イスラムの教えでは、アッラーの前での平等が第一で格差は否定しています。

紀元前1700年代のバビロニアの『**ハンムラビ法典**』には、「目には目を、歯には歯を」という有名な一節がありますが、「やられたことはやり返せ」という規定です。「和をもって貴しと……」（聖徳太子『十七条憲法』）という文化はありません。

そのような殺伐とした世界で、「殺し合いや奪い合いはやめて、仲間同士助け合おう」というイスラム教の教えはものすごく新鮮だったのでしょう。イスラム教徒は一部の人間が裕福になることを許しません。

アラビア語で「寄付」や「寄進」のことを**ザカート**といいます。**ザカートは、メッカ巡礼や断食、礼拝と並ぶイスラム教徒の義務**です。だから、アラブの王たちが富を独占して人民に分配しないのは「イスラム法に反する行為」ととらえ、「政権打倒の革命を起こしてもよい」という理屈になるのです。

イスラム教には、「平等」「分配」という考え方が徹底しているので**富の不均衡に対する反発が、イスラム原理主義の台頭する素地**となっているのです。

なぜイラクからISが生まれたのか？

ISが誕生した直接的な原因は、2003年に始まった「イラク戦争の失敗」にあるのですが、根本的な原因は、オスマン帝国がイスラム世界を支配していた時代までさかのぼります。

19世紀当時のオスマン帝国は、トルコからバルカン半島、エジプト、アラビア半島まで広大な範囲を支配下に置いていました。オスマン帝国の支配層はトルコ人でしたが、**支配下にキリスト教徒のヨーロッパ人もいれば、アラブ人やクルド人もいるという多民族国家**でした。特定の宗派ばかりを優遇すると反乱が起きてしまいますから、世俗主義でゆるく国を治めていたわけです。

20世紀初頭の第一次世界大戦で、ドイツ側についたオスマン帝国はイギリス、フランス、ロシアなど連合国と戦うことになります。そこで、**連合国側は、オスマン帝国を混乱に陥れようと考え、アラブ人の民族独立運動を煽り、オスマン帝国を崩壊へと導きました。**

この戦争のさなか、イギリスとフランスの間で、ある密約が交わされました。

オスマン帝国を倒したあとに、アラブ人の住む地域を山分けにしようという談合です。エジプトはすでにイギリスが押さえていたので、**そのほかのアラブ人居住地を、英・仏が勝手に線を引き、分割**しました。

具体的には、シリアとレバノンはフランスが取り、その南側のヨルダンとイラクはイギリスが取る。そして、ヨルダンの地中海側のパレスチナには、あとでヨーロッパからユダヤ人を送り込む。これをアラブ人には内緒で決めてしまったのです。

これを**サイクス・ピコ協定**というのですが、イギリスの目的は、当時のイギリスにとって最も重要な植民地であったインドへのルートを確保することにありました。イギリスからインドに商品を輸出したり、万一反乱が起きたときに鎮圧するために、インドへと通じる道が必要だったのです。

アラブ人居住地をうまく分割すれば、地中海からヨルダンに入り、ヨルダンとイラクの間に鉄道を敷いて、ペルシャ湾からインドに到達することができます。

このとき**イギリスとフランスが「定規で引いた線」が、今のシリアとイラクの国境線になっています。国境線が直線的なのは、こうした歴史がある**のですね。

イギリスとフランスは自分たちの都合を優先して国境線を引き、そこに住む民族や宗派を無視していました。したがって、**適当に引かれた線で誕生したイラクという国には、南東部にシーア派、西部にスンナ派、北部にクルド人、というように異なる民族や宗派が混在する結果**となったのです。なお、クルド人はスンナ派ですが、イラン系の少数民族なので、アラブ人とは対立関係にあります。

異なる民族や宗派の住民たちがいきなり「今日からおまえたちはイラク人だ」と言われてできた人工国家。これがイラクです。もともと、まとまるわけがありません。

その後、イラン・イラク戦争、湾岸戦争、イラク戦争などを経て、イラクは混迷を極め、結果的にISの拠点となっていきます。これらは、**ヨーロッパ人によって勝手に引かれた国境線にすべての元凶がある**といっても過言ではありません。

ISが、「サイクス・ピコ協定で引かれた国境を認めない」と言って、支配地域を暴力的に広げてきた裏には、このような歴史的背景があるのです。

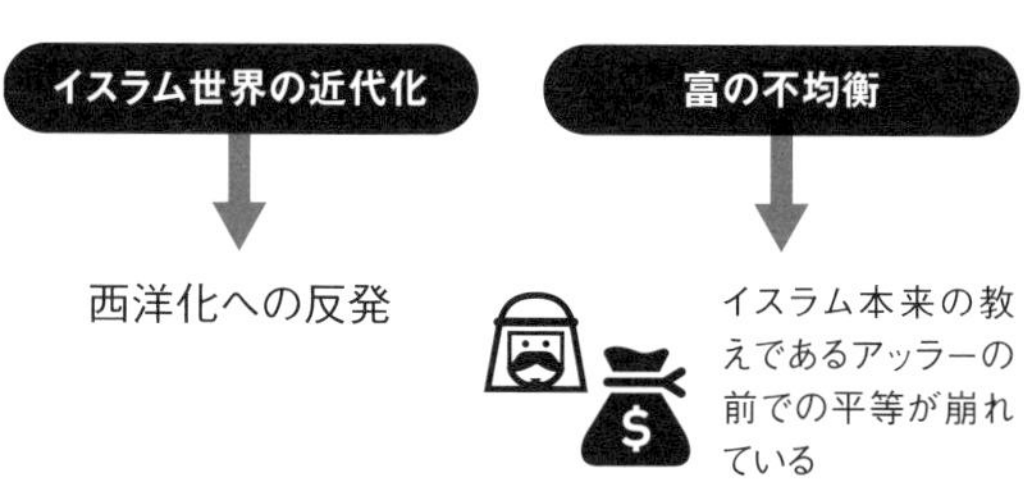

西洋化へと富の不均衡への反発からイスラム原理主義が台頭。西洋と結託して富を独占するアラブの王たちは、イスラムの教えに反するため打倒してよいという考えも

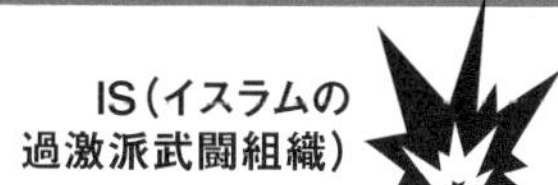

アラブ人居住地を決めたサイクス・ピコ協定

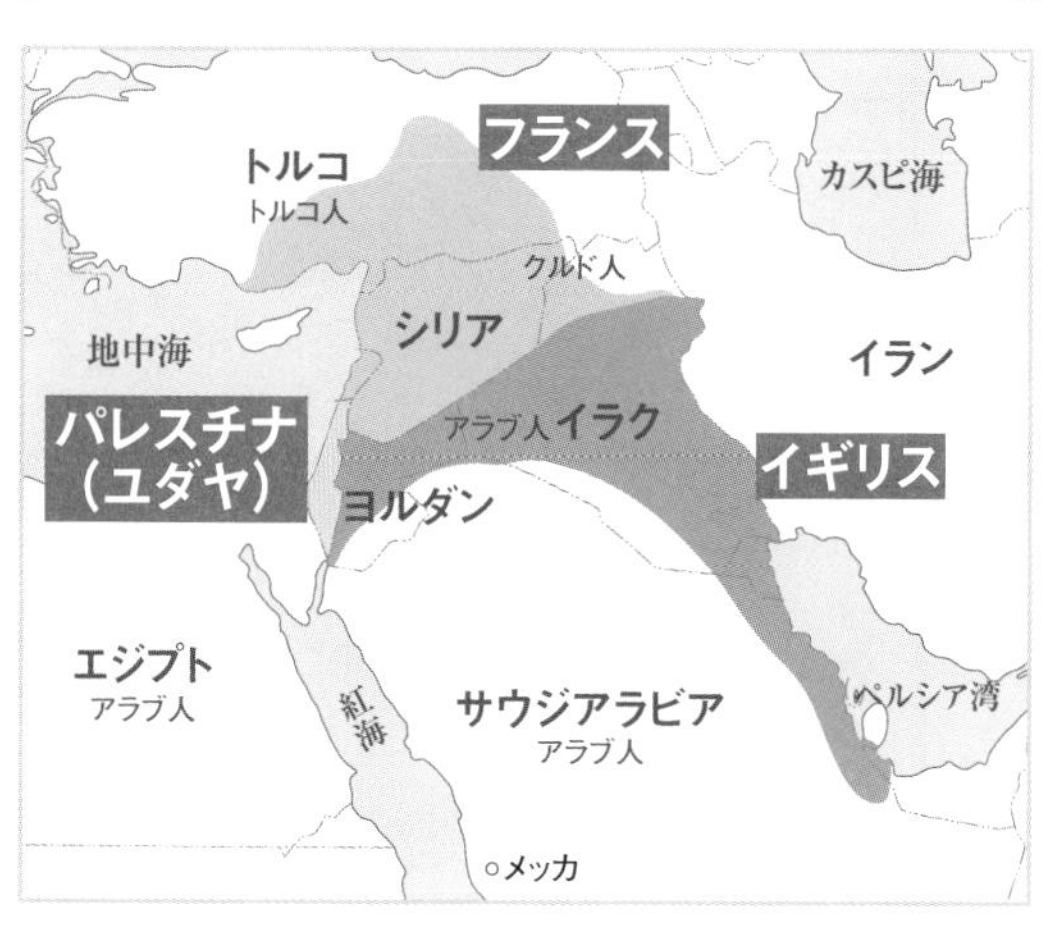

07 中東

湾岸戦争はなぜ引き起こされたのか?

実は富を分配し国民の人気もあったフセイン。欧米に媚るクウェートに切れたイラクが攻め込み多国籍軍による湾岸戦争になる。

サダム・フセイン大統領が支持された理由とは?

イギリスとフランスによって分割された国々には、それぞれアラブ人の国王が擁立されました。イラクにはメッカ出身のハーシム家のファイサル王子が、ヨルダンにはファイサル王子の兄であるアブドラ王子が、イギリスによって指名されました。**「あなたが今日からイラク王」「あなたが今日からヨルダン王」**といった具合です。

イラク王もヨルダン王も、当然、イギリスにべったり。「石油が見つかったら、イギリスに採掘権を与えろ」と言われれば素直に従うしかないため、**石油利権を外国資本に売り渡し、利益を分けてもらい、私腹を肥やしていました。**

構図はサウジアラビアのサウード家に似ていますが、ハーシム家の失敗は、利益の分配をほとんどしなかったことです。民衆の間では不平不満がうずまき、「政権を打倒しろ!」という声が高まります。特にイラクは、もともとまとまりようのない状態でしたから、1958年に軍のクーデターが起き、イラク国王は処刑されました。それ以来、イラクの革命政権は共和制を敷いて、石油を国有化することになったのです。

このような**アラブの革命が、1950年代にエジプトをはじめ各地で発生するのですが、これを裏で操っていたのがソ連(共産主義ロシア)です**。1950年代といえば、米ソ冷戦の真っ最中。ソ連の野望は、世界最大の油田地帯であるアラブの国々をアメリカやイギリスから奪い取ることでした。

だから、**イラクの親英・親米王政が崩壊したのを見て、いちばん喜んだのはソ連**だったのです。アラブの革命政権はソ連型の社会主義を模倣し、ソ連製の武器やミサイルを買って、ソ連に石油を売るようになっていきました。イラクの場合、ソ連とつながったのが**サダム・フセイン**でした。イラク革命政権の最後の大統領です。

サダム・フセインは強力な独裁体制を敷いていました。それにも理由があります。イラクではシーア派の人口が約6割で最も多く、スンナ派は少数派でした。**スンナ派の大統領だったフセインは、独裁をしないと国を運営することができなかったのです**。選挙をすれば、確実に負けてしまいますから。

サダム・フセインはまた、スンナ派の世俗主義を貫きました。女性はベールを外し、教育も受けるべきだと、「男女平等」を推進したのです。

宗教差別や民族差別も撤廃し、**「スンナ派もシーア派もクルドも関係ない。みんなイラク人だ」**と教育しました。しかも、フセイン大統領の側近だったアジズ副首相兼外相は、なんとキリスト教徒でした。そういう意味で、フセイン政権は非常に世俗的、脱宗教的な政権だったといえます。

さらに、石油利権で手に入れた富は、国民にもある程度分配していました。

欧米メディアの報道ではダークなイメージの強いサダム・フセインですが、実は、それなりに国民の人気を集めていたのです。

湾岸戦争でのアメリカの本当の狙いは何だったのか?

イラクから見れば、最も石油が出るところに位置するクウェートは邪魔な存在です。

実は、**クウェートという国も、イギリスが人工的につくった国です**。第一次世界大戦後にイギリスは、自分たちに都合のいいようにイラクやヨルダンの国境線を引きましたが、同様にペルシャ湾の石油利権を手に入れるために、クウェートとい

1980年代の中東――湾岸戦争が起こった理由

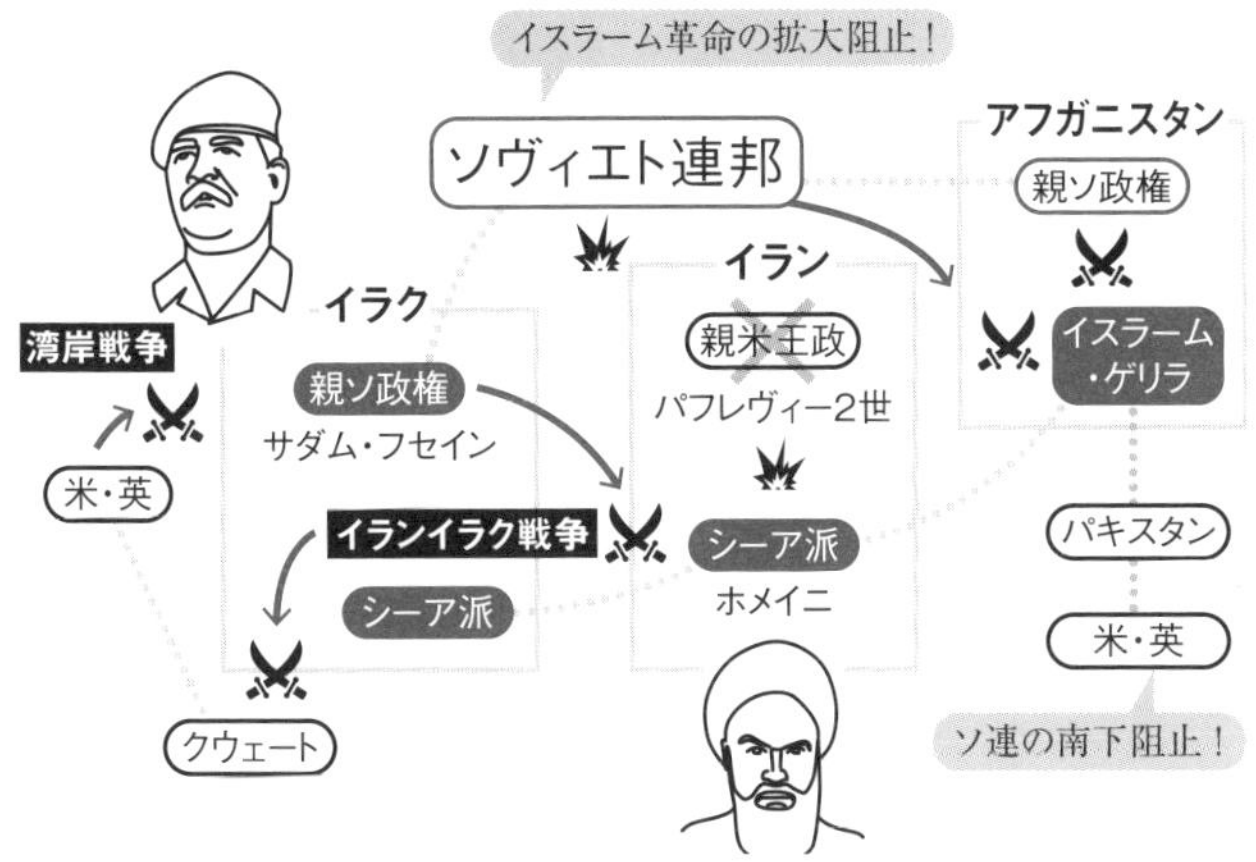

イスラーム革命の拡大阻止！
ソヴィエト連邦
アフガニスタン
親ソ政権
イスラーム・ゲリラ
イラク
湾岸戦争
親ソ政権
サダム・フセイン
米・英
イラン
親米王政
パフレヴィー2世
イランイラク戦争
シーア派
ホメイニ
シーア派
クウェート
パキスタン
米・英
ソ連の南下阻止！

うミニ国家をつくったのです。

地元の部族長のような立場から国王に昇格したクウェート王は、石油の利益を山分けしてもらっているので、徹頭徹尾、親米・親英政権です。

クウェートの存在は、イラクにとっておもしろくありません。イラクから見れば、「同じアラブ人なのにアメリカやイギリスに尻尾を振っている」と映りますし、イランと戦っている最中にクウェートが石油の値段を吊り上げて儲けていたことも、イラクにとっては「けしからん」という気持ちだったでしょう。

堪忍袋の緒が切れたサダム・フセインは、とうとうクウェートに攻め込んでしまいます。**「そもそもクウェートとの国境は、イギリスが勝手に引いたものだから認められない！」**という論理です。

クウェートがすぐにアメリカとイギリスにSOSを求めると、米英が国連安保理決議を通してしまいます。**イラク側に立つと思われたソ連のゴルバチョフ書記長は、アメリカとの冷戦終結を優先し、イラクを見捨てたのです。こうして多国籍軍が編成され、クウェートへ乗り込んできます。**これが**湾岸戦争（1991年）**の始まりです。

欧米メディアには、イラク軍がクウェートに対してすさまじい残虐行為を働いているという報道が流れます。

イラクに不利な情報ばかりが流されたことで、国連安保理もイラクへの武力行使を認めました。結果として米英軍をはじめとする多国籍軍にイラクは屈し、クウェートからの撤退を余儀なくされました。

しかし、**戦争終了後、さまざまな事実が明るみに出ました。**まず、油まみれになった水鳥の報道。これは、イラク軍の空爆ではなく、アメリカ軍の空爆によって、石油施設が破壊されたことが原因でした。にもかかわらず、イラク軍の仕業だと報道したのです。

次に、ナイラという15歳の女の子の証言。これもすべて嘘だとわかりました。

証言した女の子はアメリカ駐在クウェート大使の娘で、そのときクウェートにはいなかったのです。しかも、アメリカの広告代理店の人間が、証言する前にリハーサルをさせ、「ここで泣いて」と演技指導までしていました。

湾岸戦争では、巧みな情報操作、戦争プロパガンダが行われていたのです。

2001年にアルカイダによる**同時多発テロ**が起こり、2003年、アメリカはイラク戦争を始めます。「イラクのフセイン大統領がアルカイダと手を組んで大量破壊兵器（核・生物・化学兵器）をつくっている。これがアルカイダの手に渡る前に、阻止しなければならない」というのが理由でした。

圧倒的軍事力を誇るアメリカに直接攻撃されたイラク軍は崩壊します。首都バグダッドは陥落し、地面に穴を掘って潜伏していたサダム・フセインはとらえられ、反政府勢力に引き渡されて処刑されました。

ところが、その後の調査では、大量破壊兵器の製造も、アルカイダとの関係も確認できなかった。情報は嘘だったのです。

結局、イラクの革命政権が倒れ、シーア派中心の親米政権が生まれることになりました。そして、それまで国有だった油田はアメリカ資本の手に渡りました。この戦争の意味は、親ソ政権に国有化されていたイラクの石油利権を、アメリカが取り返しただけの話です。

これまで米英の利権獲得のためにいかにイラクが振り回されてきたか、ということです。

08 中東

なぜISに世界の若者が集まるのか?

イスラム原理主義の過激派と旧フセイン政権の軍人に加え、貧富の差が拡大するヨーロッパ移民二世三世の若者もISに合流。

ISの戦闘員はどこから集まってくるのか?

ISが生まれた直接的なきっかけは、イラク戦争です。スンナ派であるサダム・フセインのイラク政権が崩壊したことを最も喜んだのは、イラク国内のシーア派とクルド人でした。

多数派として政権を握ることになったシーア派は、これまでフセイン政権下で肩身の狭い思いをしてきた恨みがある。だから、仕返しとばかりに、それまでフセイン政権で恩恵を受けてきた人々を政権から排除し、その結果、西部に多いスンナ派の住民の不満が高まります。

こうした状況を背景に、**旧フセイン政権の多くの軍人たちがシーア派政権に対する抵抗運動を始めるために、武器をもったままISと合流していった**のです。

ISの戦闘員が、戦車を乗り回したり、武器を自在に使いこなせるのは、旧フセイン政権下で鍛えられたプロの軍人がたくさんいるからなのです。ただ、旧フセイン政権は世俗主義でしたので、合流した軍人たちは、ISと同じスンナ派ではありますが、原理主義的ではありません。

旧フセイン政権の軍人たちは、思想の面でISに共感しているわけではありません。とにかくシーア派政権を倒したい、という一心で手を組んでいるのです。

一方、ISの中核メンバーは、過激なイスラム原理主義者たちです。彼らが、アルカイダの影響を受けているのは間違いありません。

アルカイダの本拠地は**アフガニスタン**ですが、**「イラクのアルカイダ」という支部組織みたいなものがイラク戦争後に生まれました。この「イラクのアルカイダ」が、のちに名前を変えて、ISとなった**のです。

つまり、ISはイスラム原理主義のアルカイダ系過激派組織と旧フセイン政権の軍人がくっついて、急速に勢力を拡大していった組織といえます。

「クルド人」とは、どんな民族なのか?

IS関連のニュースを見ていると、よく登場するのが**「クルド人」**です。

クルド人というのは、トルコとイラク、イラン、シリアの国境地帯にまたがって住む少数民族です。少数民族とはいっても、人口は約3000万人といわれていますから、ヨーロッパだったらポーランド程度の人口をもっています。**国をもたない世界最大の少数民族**が、クルド人なのです。

クルド人の大多数はスンナ派ですが、**ヤジディ教**というクルド独特の宗教もあります。アラブ人とは民族が異なり、言葉は通じないため、同じスンナ派のイラクの中では異民族として扱われます。民族的にはイランに近いのですが、イランはシーア派なので、イランとも一緒になることはできません。

銃を持ち、戦闘で荒廃した街を歩くクルド人の女性兵士

そんなクルド人の民兵が、ISと戦闘を続けています。

クルドの信仰や伝統的な習慣は、アラブ人とはかなり異なる部分があります。

なかでも特徴的なのは、**男女同権の意識が強いこと。だから、クルドには女性兵士がいて、ISとも勇敢に戦っている。アラブの世界ではあり得ない話です。**

こうした独特の文化が『コーラン』に反する、という理由でISはクルド人を迫害し、一方でクルド人も必死で抵抗しているのです。

なぜISに世界の若者が集まる?

貧富の差が拡大して不満を持つヨーロッパへの移民二世三世も待遇に惹かれ傭兵として合流

アルカイダ本拠地アフガニスタンに流れを発するイスラム原理主義者がISの中核

フセイン政権崩壊で追いやられたスンナ派軍人がシーア派と敵対するISに合流 思想面への共感ではなくシーア派政権打倒が目的

なぜクルド人は独立国家をもてないのか?

クルド人が自分たちの国家をもてないことに対して「なぜ?」と思う人が多いかもしれません。**3000万もの人がいれば、立派な国として成立するではないか**、と。

クルド人の国家が存在したのは、12〜13世紀にかけてのこと。**エジプト、シリア、イエメン**などの地域を支配していた**アイユーブ朝**が、歴史上、最後のクルド人国家です。サラディンという伝説的な勇者が建国し、**十字軍**から聖地を奪回しています。しかしそれ以降、クルド人の独立国家は誕生していません。

第一次世界大戦中、サイクス・ピコ協定でオスマン帝国を解体したとき、イギリスやフランスの間で「クルド人の扱いはどうするか?」と議論になりましたが、結局、トルコ共和国とイラクに分割されてしまいました。

その後、クルド人が居住する**キルクーク**で油田を発見したイギリスは、石油利権をめぐってイラク革命政権と対立し、クルド独立支援へと方向転換したのです。

イラク内戦は、クルド人にとって数世紀ぶりにめぐってきた独立のチャンスです。

アメリカやイギリスはISに対して空爆を行っていますが、リスクの高い地上軍は送り込みたくない。

だから、ISと対立しているクルド人を応援しています。「クルド人が頑張ってISを撃退してくれれば、それでいいではないか」というわけです。

もしもクルド人の活躍によってISを壊滅させることができれば、報酬としてクルド人の独立が認められ、13世紀以来のクルド独立国家が誕生するかもしれません。

ヨーロッパの若者がISに参加する理由とは?

ISを支える戦闘員には、実は、もうひとつ重要な勢力が存在します。

それが**欧米諸国から流れてくる傭兵**です。この傭兵の多くを占めるのが、**中東諸国からヨーロッパへ移住した移民の二世や三世**です。

彼らはイスラム教徒ですから、なかなかヨーロッパの社会に溶け込めず、仕事も居場所もない。ヨーロッパは貧富の格差が拡大して、特に移民の二世、三世はその煽りをもろに受けています。

そんな状況の中で、ISが発信するツイッターやネット動画を見て、「なんかカッコいいじゃん」「お金もたくさんもらえるらしい」「嫁ももらえるらしい」と思った人たちが、続々とISに合流していったのです。

ISへの戦闘員の合流が止まらないのは、イスラム社会の問題というより、ヨーロッパ全体の問題なのです。

18ページの写真 ©共同通信社

09 中東

アメリカと中東諸国の複雑な関係とは？

オバマ時代に打倒ISの利害一致でイラン核開発を黙認。トランプ政権になりイランとの関係悪化。かき回された中東諸国の紛争が続く。

アメリカとイランの接近で、中東の「パワーバランス」はどう変わる？

オバマ政権時代にアメリカとイランが接近したことは、中東におけるパワーバランスを大きく揺るがしました。

中東で孤立するイランのシーア派政権にとって、身を守るための最大の手段は核武装です。アメリカはこれを許さず、厳しい経済制裁を長年イランに科してきました。

しかし、ＩＳ壊滅作戦に協力するイランは、「その代わりに核開発を黙認しろ」と言ってくる。２０１５年、イランは核開発の禁止ではなく「凍結」で合意し、欧米諸国は経済制裁の解除に動き出しました。

イランの核兵器を最も恐れているのは、イスラエルです。ユダヤ人国家であるイスラエルの敵は、大きく分けて2つあります。

ひとつは**ハマース**。**パレスチナ難民の武装組織で、スンナ派のイスラム原理主義を掲げ、アルカイダとつながりがあります。**イスラエルの国家承認と和平に反対し、イスラエルに対するロケット砲攻撃や自爆テロを行ってきました。

もうひとつは、**ヒズボラ**。こちらは、**レバノンを拠点とするシーア派の過激派組織です。ヒズボラもイスラエルに対してテロ行為を繰り返しています。**ヒズボラに対して武器などを援助しているのが、シーア派の盟主であるイランです。

イランから武器がどんどん流れてくるということは、仮にイランが核兵器をもてば、それがヒズボラの手に渡る可能性もあるということです。だから、イランの核武装にいちばんむきになって反対しているのがイスラエルなのです。

国連総会で米の核合意離脱と制裁再開を非難するイランのロウハニ大統領

１９８１年、イラクのサダム・フセイン政権が核武装をしようとしたとき、それを察知したイスラエルは、戦闘機をイラクに送り込み、原子炉を空爆しました。いきなりの殴り込みです。なぜそこまでしたのかというと、イラクからパレスチナ過激派へ核が渡るのを阻止するためです。

イスラエルは小さな国ですから、もし核ミサイルが飛んでくれば、瞬間的に国が終わってしまいます。核保有を公表はしませんが、周辺諸国に対する脅しとしてイスラエルは２００発程度の核ミサイルを保有しているといわれています。

アメリカとイスラエルの「蜜月の関係」はどうなる？

イスラエルが最も恐れているのは、アメリカとイランが接近し、なし崩し的にイランが核武装をすることです。

これまでイスラエルはイランの核武装を防ぐために、アメリカに対して熱心なロビー活動を続け、イランを締め上げて核武装を認めないよう働きかけてきました。

オバマ政権時代、アメリカがイランにすり寄っているのを見て、イスラエルは「オバマは何をやっているんだ！」と不満を抱きました。

　したがって、**ＩＳの台頭以来、アメリカとイスラエルの関係は、かつてないほどに悪化**したのです。トランプ政権になり、オバマ時代の核合意からの離脱を表明しましたが、それに伴ってイランはそれまで３・67％に制限されていた「ウラン濃縮」を20％に引き上げる意向を示しています。20％を超えると**広島型原子爆弾**に転用可能ですから、イスラエルは戦々恐々でしょう。

ユダヤ国家イスラエルは建国以来、中東におけるアメリカとイギリスの「代理人」という位置づけでしたが、その地位が揺らいでいます。

　アメリカが中東に干渉してきたのは、石油利権とユダヤ・ロビーの影響力によるものでした。しかしシェール・ガスの国産化に成功した米国は中東への関心を急速に失っています。

中東における勢力図

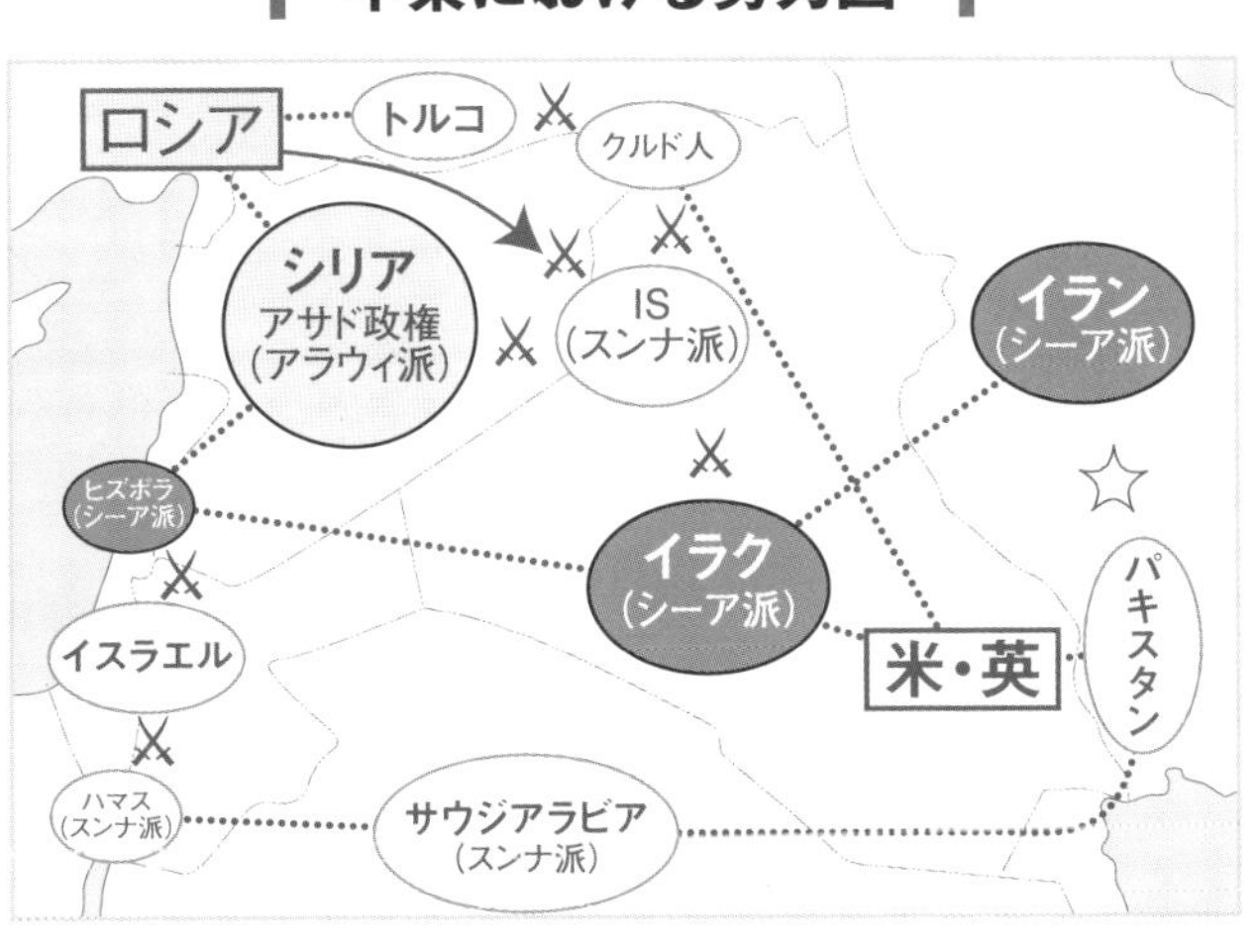

アメリカとサウジアラビアの関係はどうなる？

　イランの動向が気になる国は、イスラエルだけではありません。

　もしイランが核武装することになれば、シーア派がどんどん力をもち、スンナ派が劣勢に立たされます。そうなると、スンナ派のボスが黙っていません。

　そう、サウジアラビアです。

「イランが核兵器をもつのなら、うちも核武装する」と言い出しかねません。

　サウジアラビアには核武装をする技術はありませんが、石油成金なのでお金はもっている。だから、すでに核をもっている国から買うことができます。

　どこから買うか？　同じイスラム教スンナ派で核保有国がひとつだけあります。

　パキスタンです。パキスタンは隣国のインドと対立しているので、インドの核武装に対抗して、核を保有しました。**パキスタンの核とサウジアラビアの豊富な資金が結びつけば、サウジアラビアは、すぐにでも核武装宣言ができるのです。**アメリカは、核保有国がこれ以上増えてコントロール不能になることを恐れています。

　これまで良好な関係を築いてきたアメリカとサウジアラビアですが、イラン核問題でその関係にひびが入り、ギクシャクしてしまったのです。

　アメリカはＩＳ掃討のために地上軍を投入したくないから、イランを始めとしたＩＳの敵対勢力と接近しているわけですが、皮肉にもそれが中東における核武装競争を煽る結果となりました。トランプ政権はこれを必死に軌道修正しているわけです。自業自得とはいえ、石油利権に目のくらんだアメリカの中東政策は、完全に破たんしているのです。

トランプ米政権がエルサレムをイスラエルの首都と認定する方針に抗議し、イスラエルと米国の国旗を燃やすパレスチナ人ら

20ページの写真　©ＵＰＩ＝共同、21ページの写真　©ロイター＝共同

10 中東

トルコ国境がISの通路になる理由は？

イラク国境地帯のクルド人独立を恐れるトルコ。クルド人と戦うISの通路となることで、国内のクルド人の封じ込めを狙う。

トルコ国境がISへの通路になっているのはなぜ？

欧米からＩＳに合流する人々の多くは、トルコとシリア・イラクとの国境から入っていきます。逆にシリア難民が、ここからトルコ経由で欧州に入ってくる。トルコ国境が、ゆるゆるになっているのです。なぜでしょうか。

この問題を考えるため、トルコの歴史と国内事情を見てみましょう。

トルコはかつてのオスマン帝国の継承国で、**アナトリア半島**（小アジア）と**バルカン半島東端の**イスタンブールを領有する、アジアとヨーロッパにまたがる国です。

このような地理的な特徴をもつトルコを、**ロシアの地中海進出を阻む防波堤とアメリカは位置づけてきました**。

だから、東西冷戦中からアメリカは軍事面で莫大な支援をし、トルコはギリシアとともにＮＡＴＯ（北大西洋条約機構）に参加しています。

ちなみに、地中海に面したイスラエルはＮＡＴＯには加盟していませんが、アメリカ最大の対外援助国で、事実上の同盟関係を築いてきました。

つまり、アメリカはトルコやイスラエルといった国と友好関係を構築し、ロシアに対する防波堤として優遇してきたのです。

一方で、トルコの国内では、イラクとの国境地帯に住む、「クルド人の独立運動」がつねにくすぶっています。

イラクのクルド人が対ＩＳ戦に勝利すると、トルコのクルド人の独立運動が勢いづき、トルコ政府は手を焼くことになります。

トルコにとってISは「敵の敵は味方」というわけですね。ＩＳがクルド人を制圧すれば、国内のクルド人も抑え込めるからです。**トルコがシリアやイラクとの国境のIS支援ルートを黙認している背景には、こうした事情がある**のです。

ところが、アメリカはＩＳを叩くためイラクのクルド人を支援しはじめた。このままではクルド国家の独立を承認しかねない。

したがって、トルコも「アメリカは何をやっているんだ！」と不信感を抱いている状況です。

イスラエルとトルコという、中東における2つの親米国家が、ＩＳ問題でアメリカから距離を置き始めた。これは、ものすごい地殻変動なのです。

トルコはイスラムなのか？ヨーロッパなのか？

トルコと欧米諸国の関係は、今後どうなっていくのでしょうか。

それを見通すには、トルコ国内の「世俗主義」と「イスラム主義」という二大勢力の存在について理解しなければなりません。

現在のトルコ共和国を建国したのは、**ケマル・パシャ**という軍人です。彼は、オスマン帝国が崩壊したときに、イギリス軍とフランス軍を追い払って、現在のトルコ領土を取り返した英雄で、**アタチュルク**（トルコの父）と呼ばれています。トルコの紙幣は全部アタチュルクの顔ですし、どの町にも「アタチュルク広場」があります。

政権の座についたアタチュルクは、徹底した世俗化、欧米化政策を実施しました。「オスマン帝国が崩壊したのは、イスラムにこだわって西洋文明を取り入れなかったからだ。これからはヨーロッパの一員にならなければならない」という論理です。

欧米化政策で最も象徴的なのは、アラビア文字をやめて、ヨーロッパ式のアルファベット（ロー

マ字）を採用したこと。アラビア文字ばかりのアラブ諸国を旅行してからトルコに行くと、看板や標識がローマ字なので、私たちはホッとします。

アタチュルクに始まる親欧米派の軍事政権は、西洋化を推し進め、NATOに参加します。たとえば公立学校で『コーラン』を教えたり、女生徒がスカーフを被ることも禁じられてきました。

しかし、「西洋化＝産業化」ですから、産業が発達して、貧富の差が生まれると「格差はけしからん」という勢力が台頭してきます。「富を分配し、助け合うイスラムの精神に立ち戻ろう」と脱欧米化を主張するイスラム政党が勢力を拡大して

なぜトルコ国境がISの通路に？

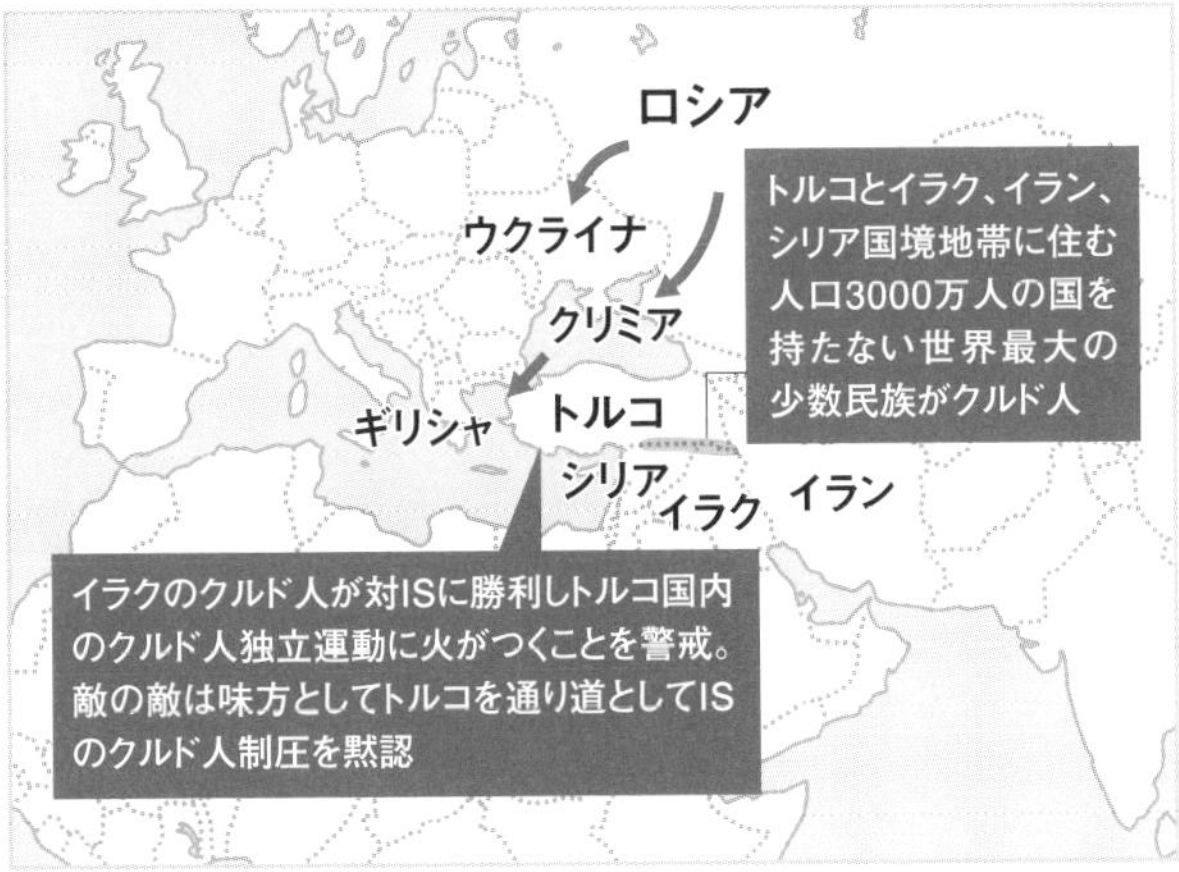

ロシア
ウクライナ
クリミア
ギリシャ
トルコ
シリア
イラク
イラン
トルコとイラク、イラン、シリア国境地帯に住む人口3000万人の国を持たない世界最大の少数民族がクルド人
イラクのクルド人が対ISに勝利しトルコ国内のクルド人独立運動に火がつくことを警戒。敵の敵は味方としてトルコを通り道としてISのクルド人制圧を黙認

くるわけです。そのたびに親欧米派の軍部がクーデターを起こして、選挙結果を無効にするといった攻防を繰り返してきました。

今後のトルコの行く末に重大な影響を与えるのが、エルドアンというイスラム主義の大統領です。**エルドアンは元イスタンブール市長です。非常に賢い人で、イスラム主義という自分の本心を封印して、選挙に勝ってきました。**「NATOのメンバーとして、これまでのアタチュルクの路線を継承します」と言って首相、大統領の座まで上り詰めたのです。しかし、エルドアン大統領の本当のスタンスは、反欧米なのです。**米国からの自立という本心を隠して日米同盟堅持を謳う安倍晋三首相とよく似ています。**

トルコは、もうひとつ大きな問題を抱えています。EU（欧州連合）への加入問題です。

トルコ国民はずっとEUへの加盟を望んでいました。パスポートなしで豊かなヨーロッパ諸国に出稼ぎに行けるからです。

トルコは物価が安いので、ヨーロッパに出稼ぎに行けば、すごく儲かる。実際、ドイツには、たくさんのトルコ人が出稼ぎに行っています。トルコに行くと、英語よりもドイツ語を話せる人のほうが多いくらいです。

パスポート・チェックが撤廃されれば、もっとたくさんのトルコ人が西欧諸国への出稼ぎで稼ぐことができます。だから、親欧米派はずっとEU加盟を求めてきました。ところが、EU側がトルコの加盟に反対しました。

低賃金で働くトルコ人労働者がこれ以上出稼ぎに来たら、国内の失業者がさらに増えてしまうからです。今、ヨーロッパでは**移民排斥運動**が盛んですから、「トルコのEU加盟を認めるのは論外だ」という風潮になっており、いまだにトルコはEUに加盟できていません。そうなると分が悪いのは、トルコの親欧米派。これまで「EUに加盟すればトルコは豊かになる」と言って国民の支持を集めてきたわけですから。

エルドアンのようなイスラム主義の人物が大統領の座につけたのは、その反動といえます。「いつまでたってもEU加盟なんてできないじゃないか。トルコ人はイスラムなのだから、イスラムの世界でやっていくよ」という人たちの支持を集めたのです。

今後、トルコはイスラム側に傾いていきます。これまでトルコは、中東イスラム国の中ではめずらしく、イスラエルとは良好な関係を維持していました。同じ親欧米派の立場だったからです。

ところが、エルドアン政権になってから、その関係は一気に冷え切ってしまいました。2009年に開催されたダボス会議で、エルドアン大統領はイスラエルの大統領に面と向かって、「イスラエル軍がガザ地区に攻め込んでいるのはけしからん！」と言い放ち、アラブ諸国から拍手喝采されています。

現在、トルコは「切れた凧」といえる状態で、アメリカとぎくしゃくした関係はしばらく続くと予想されます。

11 中東

中東はこれからどうなるのか？

イランの対立などでアメリカの中東へのプレゼンス低下をチャンスと見るロシアの動きが鍵に？

ロシアが急接近している中東の国とは？

アメリカは中東問題で手を焼き、徐々にプレゼンスが落ちてきています。今の状況をチャンスととらえている国があります。**ロシア**です。

ロシアの中東に対するスタンスは今もあまり変わっていません。中東への影響力を拡大したい。ただ、それだけです。しかし、今のところロシアが影響力を行使できるのはシリアくらいしかありません。そこで、プーチン大統領が急接近しているのが、トルコです。

天然ガスパイプライン開通式典で握手するロシアのプーチン大統領とトルコのエルドアン大統領

アメリカとトルコの関係がうまくいっていないことに乗じて、エルドアン大統領との関係をつくろうとしています。

これまでロシアから黒海経由で天然ガスのパイプラインを通すというプランがあったのですが、これをやめてトルコにパイプラインを通すと言い始めました。これがプーチン大統領の賢いところですね。

トルコもしたたかです。**トルコにとってロシアは歴史的には敵国ですが、アメリカと距離をとるかわりに、ロシアに近づいてバランスをとっている**といえます。

ちなみに、２０１４年にロシアがウクライナからクリミア半島を独立させ、ロシアに併合したのも、クリミアのロシア軍基地を確保して、中東や地中海に出ていきたいという意思のあらわれです。

「敵の敵は味方」ですから、ＩＳ崩壊後の中東は、次のような対立構造となるでしょう。

アメリカ・クルド・イランvsロシア・シリア・イスラエル・サウジアラビア・トルコ

プーチン大統領がシリア内戦へのロシア軍投入を始めたのは、これに備えるためです。

日本は、中東諸国とどう付き合っていくべきか？

日本は、ＩＳ、あるいは中東とどう付き合っていくべきなのでしょうか。

大事なことは、**ＩＳのやっていることと、中東の民族問題を切り離して考えること**です。

ＩＳのやっていることは犯罪行為ですから、彼らの言い分に耳を貸してはいけない。凶悪な犯罪集団として取り締まらなければなりません。

日本人２人が人質にとられたときも、日本政府は一貫してＩＳとは交渉しないというスタンスでした。

これは正しい。交渉するということは、犯罪集団にお金を払うということですから、それは許されません。犠牲になった日本人の２人は大変お気の毒でしたが、一度、犯罪集団にお金を払ってしまえば、第２、第３の事件を招きます。

かつて日本は苦い経験をしています。**日本赤軍が引き起こしたダッカの日航機ハイジャック事件**

（1977年）で、日本政府（福田赳夫内閣）は「人の命は地球より重い」という迷言を残してテロリストの要求に屈し、身代金を渡して日本赤軍のメンバー6人の釈放に応じたのです。

同年に起こった西ドイツのルフトハンザ機ハイジャック事件では、ドイツの特殊部隊が機内に突入してテロリストを射殺し、人質を解放しました。

これを教訓として、日本でも特殊部隊の養成が始まったのです。テロ犯罪集団には、毅然とした態度で臨むというのが、基本的なスタンスでしょう。

中東との付き合い方については、経済支援を除き、基本的に関与を減らしていくのが賢明です。つまり、中東へのエネルギー依存を徐々にやめていく、ということです。**数百年の歴史的背景をもつ中東の宗教対立、民族対立に、お人好しの日本人が深入りするのは危険**です。あくまで「善意の第三者」でいるべきです。

たとえば、中東以外の地域で石油や天然ガスを確保する。その選択肢のひとつが、ロシアでしょう。安倍政権がプーチン大統領とよい関係を築いているのは、そのような思惑があるはずです。

もうひとつの方法として有力なのは、日本近海で新しい資源の開発を急ぐ。具体的には「燃える氷」と称される**メタンハイドレート**です。資源として活用するには、10年はかかるでしょうから、それまでは原子力発電の再稼働などで、だましだましやっていくしかないでしょう。

日本周辺のメタンハイドレートの埋蔵調査海域

埋蔵調査海域
日本海
太平洋

中東から戦争はなくならないの？

中東ではたえず戦争が起きています。だからといって、「イスラム教が悪い」と結論づけるのは短絡的すぎます。地下鉄で毒ガスのサリンをまいたオウム真理教の無差別テロ事件を見て、「仏教が悪い」と結論づけるようなものです。

イスラム教そのものに争いの原因があるわけではなく、これまで見てきたように、**欧米諸国による身勝手な中東分割に原因があります。無理やり国をつくってしまったのが諸悪の根源なのです。**

そもそもイスラムの世界には国 Nation という概念が希薄です。

日本人であれば、自分のまわりに家族や友人がいて、その上の概念として地域があり、さらにその上には日本国がある。

では、日本国の上には何があるでしょうか。ないですよね。「地球」と答えるのは、鳩山由紀夫さんくらいでしょう。

一方、**イスラム教徒は、家族の上は血縁集団の「部族」であり、「国」という概念がほとんどありません。**国を通り越して**イスラム共同体（ウンマ・イスラミーヤ）**が上位概念なのです。

だから、本来のイスラム教徒は民族を超えて信頼し、友人になれる。

年1回の**メッカ巡礼**には、国境に関係なく世界中からイスラム教徒が集まってきますが、同じイスラム同士という信頼関係があるから、「あなたもメッカに行くんですか」と助け合いながら巡礼ができます。

もともと国という概念がないところに、20世紀になって無理やり国をつくってしまった。いきなり「今日からシリア人」「今日からイラク人」と言われても、ピンとこない。国という概念があるのは、ずっと同じ民族で国をもっていたトルコやイランくらいです。

アラブ人には、国という意識が薄いのです。

だから、本気で中東問題を解決しようと思えば、「**サイクス・ピコ協定**はおかしかった」というところから議論を始めなければなりません。

たとえば、イラクについても、各地方に大幅な自治権を与える、場合によってはスンナ派、シーア派、クルドの3つに分割してもいい、というところまで踏み込まなければならないのです。

シリアも同じです。各宗派、各民族に大幅な自治権を与えるというのは、かつてのオスマン帝国で採用されていた方法です。

そうしなければ、中東は永久に同じような争いを繰り返すことになるでしょう。

24ページの写真 ©Sputnik／共同通信イメージズ

ヨーロッパ統一の真実

第2章

常に各国の侵略による争いが続いた地続きのヨーロッパ。EU誕生後も政治、軍事、経済面の争いは消えず移民、テロなどの問題を多く抱える。

ヨーロ
夢と現

12 ヨーロッパ

そもそもヨーロッパとは何か?

広大なローマ帝国崩壊後に生まれたヨーロッパ。EUとして再統合されたヨーロッパが抱える問題の背景にはユダヤ教とキリスト教の争いがある。

「ヨーロッパ」は、いつ生まれたのか?

「これまでの世界を振り返ってみると、主な紛争は、異なる文明圏の『境目』で起きてきた」と論じたのが、アメリカの国際政治学者**サミュエル・P・ハンティントン**の『**文明の衝突**』という名著です。たとえば、**欧米の「キリスト教文明」とアラブの「イスラム文明」が接する境目で紛争が起きてきました**。古くは十字軍にさかのぼり、現代の湾岸戦争やイラク戦争も、まさにキリスト教文明とイスラム文明の対決のように見えます。

そうした文明の衝突にはヨーロッパの成り立ちも関係しています。

ヨーロッパが生まれたのは、**古代ローマ帝国**が崩壊したあと。ローマ帝国の領土は広大でした。イタリアを中心として、東はトルコやシリアなど中東諸国、南は地中海に面した北アフリカ諸国、北はアルプス山脈を越えて**カエサル(シーザー)**が遠征を行い、フランスとイギリス南部にまで勢力を拡大しました。そのためヨーロッパ人もいれば、北アフリカの人もいる、という大変な多民族国家でした。また、ローマ帝国時代の宗教は多神教だったので、特定の宗教を押しつけることもなく、オープンな国としてなんとか成り立っていました。ところが領土を広げすぎると、大きな問題が起こります。

領土を維持するための軍事費をまかなうために増税を繰り返す。この結果、経済活動自体が収縮し、税収は減少、軍事費を維持できなくなりました。各地の反乱や異民族の侵入に対処できず、ローマ帝国は、崩壊への道をたどったのです。社会不安からキリスト教が広まったのもこの頃です。

広大な領土を支配するあらゆる帝国は、ローマ帝国と同じ運命をたどることになります。現在のアメリカもイラク戦争あたりから、衰退期に入ったと言えるかもしれません。

ヨーロッパに最初に侵入してきたのは、アルプスの北に住んでいた**ゲルマン人**。いわゆる民族大移動ですね。その後、ゲルマン人同士の抗争の末に、**フランク王国**が西ヨーロッパを統合しました。9世紀、日本では平安京に遷都した頃です。

このフランク王国がローマ帝国からの継承したのが、**西方キリスト教のローマ・カトリック教会**と**ラテン文字(ローマ字)**でした。

フランク王国はまもなく仏・独・伊の3国に分裂し、西ヨーロッパの統合は失われます。特に独・仏間では戦争が繰り返され、20世紀には2つの世界大戦の要因にもなりました。

この反省をふまえて、第二次大戦後に西欧を再統合しようとした試みが、EC(欧州共同体)であり、現在のEUです。**統一ヨーロッパとは、20世紀に復活したフランク王国なのです。**

ゲルマン人の次に侵入してきたのが、**アラブ人**です。ローマ帝国の東側と南側、シリア・エジプトあたりから北アフリカを西進してモロッコ、さらに**イベリア半島**(スペイン)を征服し、西欧諸国を南から脅かします。この結果、**「地中海」がヨーロッパ文明とアラブ(イスラム)文明を分ける「境目」になった**のです。

ローマ帝国は5分の1程度まで領土の縮小を余儀なくされますが、現在のギリシアを中心に生き残ります。これを**東ローマ帝国**あるいは**ビザンツ帝国**といいますが、**このビザンツ帝国が採用したのが、キリスト教の東方正教会とギリシア文字です。こうしてフランク王国が西ヨーロッパ諸国、ビザンツ帝国が東ヨーロッパ諸国の原型となりました。**ロシアもギリシアも東方正教会を採用し、西欧文明とは別の道を歩むことになるのです。

キリスト教とユダヤ教が対立するのはなぜ？

ヨーロッパの問題を理解するには、キリスト教の基本的な考え方を理解しておく必要があります。簡単に言えば、**キリスト教とイスラム教は、どちらもユダヤ教から分かれた宗教**です。

キリスト教を知るには、**ユダヤ教**を知らなければなりません。ユダヤ教には生活のあらゆることを定めた神の掟があります。これを「**律法**（りっぽう）」といって、守らなければ人々は救われないとされています。

ローマ帝国崩壊後のヨーロッパ

安息日の土曜日は労働することを禁じられていて、律法にそむいた者は死刑になります。「安息日に働くのは神への反逆だ」というわけです。食べ物にも決まりがあって、「豚肉を食べてはいけない」というのもそのひとつ。**イスラム教にも「豚肉を食べてはいけない」という決まりがありますが、もともとはユダヤ教の律法に由来している**のです。

ユダヤ教は、厳しすぎる律法のため、異民族には広がりませんでした。そしてキリスト教の神とされるイエス。**ユダヤ人の大工の子として生まれたイエス**は「律法など意味がない。何を食べてはいけないか、安息日の土曜日に休むか休まないか、そんなことはどうでもいい」と言い放ったのです。

イエスの言葉を喜んだのが、貧困層の人たちです。こっそりと土曜日に働く人もいれば、豚肉をやむを得ずに食べる人もいたからです。律法を破ったからといって彼らは罪人なのでしょうか。「そんなことはない。心の底から神を信ずれば救われる」とイエスは説きました。律法という形式ではなく、信仰の心が大事――。

異民族でも、敵のローマ人であっても、信仰すれば救われるということになります。これこそキリスト教が世界宗教になった大きな要因といえるでしょう。ユダヤ教の指導層は「律法を汚された」と憤り、イエスを告発しました。当時のユダヤは、ローマ帝国の支配下にあったので、「イエスは貧困層を集め、ローマへの反逆を煽り立てる危険人物だ」という罪状で告発したのです。**イエスは反逆罪で有罪とされ、磔の刑に処されました。**

ここで終わっていれば、イエスの教えは、ユダヤ教のちょっとした分派にすぎなかったのですが、このあと不思議なことが起こります。「処刑されたイエスが甦った」という話が広まったのです。

イエスが**ゴルゴタの丘**で処刑されたのは金曜日でした。翌日が土曜日で安息日です。これを避けて、葬式は日曜日に行うことにしたのです。

日曜日に葬式をしようと、家族が集まったら、仮埋葬の墓が開いていて中は空っぽでした。イエスが消えてしまったのです。しかも、そのあと、イエスの弟子だった人たちから、目撃証言がたくさんもたらされました。「処刑されたあとのイエスに会って話をした」というのです。

「日曜日の朝にイエスは復活した」

「神自らが、人々を悔い改めさせるために、イエスの姿になって地上にあらわれたのだ」

こうして生まれたのがキリスト教です。イエス自身はユダヤ教の改革者で、「私は、神だ」とはひと言も言っていません。ペテロやパウロといった弟子たちによって、神として祭り上げられたのです。

これに黙っていないのは、ユダヤ教徒です。ユダヤ教から見れば、律法を守ることは意味がないと説くイエスは裏切り者です。まして、人間であるイエスを「神」と呼ぶなど言語道断。

これが、ユダヤ教とキリスト教の根本的な違いです。この一点において両者は絶対に相容れません。キリスト教徒とユダヤ教徒が対立する最大の理由がここなのです。

13 ヨーロッパ

キリスト教とイスラム教はなぜ対立するのか？

イエスを神とする普遍的な世界宗教キリスト教とヤハウェを唯一神とするイスラム教。本来どちらもユダヤ教を元にする兄弟。関係性が深い故に争いも。

イエスは、神なのか？

イエスの母親は**マリア**という人間の女性で、彼女のお腹から出てきたのがイエスです。人間が神を産んだのか？　キリスト教徒にとって、その点を突っ込まれることがいちばん苦しいのです。

そこで、あとになって、さまざまな理由付けがされました。採用されたのは、**「マリアのお腹に神が宿り、その中で神が人の姿になって生まれてきた」という説**。全宇宙を支配している神が、小さくなってマリアのお腹に入ったのだ、と説明したのです。正統派のキリスト教徒は、**ヤハウェのことを「父」、イエスを「子」とし、マリアのお腹にイエスを宿らせた神の力を「聖霊（せいれい）」といいます。「父なる神」と「子なるイエス」、そしてマリアに宿った「聖霊」**――。**これを「三位一体（さんみいったい）」**といいますが、このように解釈しないと、キリスト教はイエスの存在を説明しきれないのです。

キリスト教は、イスラム教となぜ対立するのか？

キリスト教とイスラム教は、兄弟のような関係です。イスラム教の教えは、ユダヤ教に近く、「律法」が存在します。「最後の預言者」であるムハンマドが伝えた神の言葉『コーラン』の戒律を守った者だけが、救済されるという教えです。

ユダヤ教の場合の「律法」は、**『旧約聖書』**に書いてある日常生活の決まりごと。モーセなどユダヤ人の預言者たちが言い伝えてきたものです。

ところが、**イスラム教は、『旧約聖書』ができたあとも、預言者は何人も存在したという立場です。「イエスも預言者のひとりである」**と考えます。

モーセが語った神の言葉は『旧約聖書』に、イエスが語った神の言葉は『新約聖書』にまとめられた。しかし、神はまだ語り終えてはいなかった。**最後に選んだ預言者がアラブ人のムハンマドであり、ムハンマドが語った神の言葉をまとめたのが『コーラン』である。イスラム教徒はこう考えるのです。**したがって、イスラム教は、イエスを完全否定することはありません。しかし、**ヤハウェが唯一絶対の神ですから、「イエスを神と呼ぶのはおかしい」**というわけです。

イスラム教徒は、ユダヤ教徒やキリスト教徒のことを仲間だと思っています。ただ「いずれも不完全な教えであって、肝心なことがわかっていない。最後の預言者であるムハンマドの啓示をなぜ聞かないのか」という考え方なのです。

親戚関係ほど揉めるとやっかいだといいますが、宗教も同じです。イスラム教と仏教のように世界観がまるで違う宗教では、議論がそもそもかみ合いません。まったく違う思想なので、ケンカのしようがないのです。

ところが、イスラム教とキリスト教のように、もともと近い宗教が途中から異なる道を歩んだ場合には、近親憎悪が激しくなり、お互いを憎み合ってしまう。似ているからこそ、激しく対立するのです。イスラム教とキリスト教が、どうしても相容れない部分がもうひとつあります。**ユダヤ教とイスラム教は、「神はあまりにも偉大であるから、人間ごときが神の姿を絵や彫刻にすることはできない」と厳しく規定**しています。これを**偶像禁止**といいます。

これに対してキリスト教は、イエスやマリアだけでなく、弟子のペテロやパウロの像も描かれます。偶像に対してゆるい。「偶像を認めるかどうか」も、キリスト教とユダヤ教・イスラム教が対立する原因のひとつといえます。

2005年にはデンマークで、2014年にはフランスで、預言者ムハンマドの風刺画を掲載した新聞社が、イスラム教徒の激しい反発を招きました。2015年には、風刺画を掲載したパリのシャルリー・エブド社をイスラム過激派が襲撃し、編集者・記者ら数名を殺害するという陰惨な事件に発展。**預言者の風刺は論外。その肖像を描くこと自体がタブーなのです。欧米人はこのようなイスラムの文化について、あまりに無神経であ**ると思います。

西欧文明の基本原理とは？

ローマ帝国が崩壊したのちに、北欧から移動してきたゲルマン人がフランク王国を建てました。しかし、ローマ帝国が滅んでも、ローマ人が人口の多数を占めていたので、少数民族の征服者であるゲルマン人は、ローマ人の宗教や慣習に従う必要がありました。

800年のクリスマス、フランク国王であった**カール大帝**は、ローマに行って教皇の前にひざまずき、「**戴冠式**」を行いました。「おまえの統治権を認める」とローマ教皇にお墨付きをもらったわけです。これが「**カールの戴冠**」です。

地上の権力者であるフランク王が、神の代理人であるローマ教皇の手で戴冠するという構図です。ローマ人たちの心の支えは、イエスの**十二使徒**のひとり**ペテロ**の後継者であり、代理人であるローマ教皇でした。**人口の大多数を占めるローマ人たちを手なずけるために、ローマ教皇の権威は必要だったのです。**

このように政治権力と宗教的権威が分かれていることを、**政教分離**といいます。

この政教分離こそが、西ヨーロッパ文明の特徴なのです。

政治と宗教が分かれているということは、王権は絶対的なものではない、ということを意味します。もし**国王が悪い政治をすれば、「神のご意思とローマ教皇の命令に反する」という名目で、国王を権力の座からひきずり降ろすことができる**のです。実際、教皇は反抗する王たちを「破門」し、屈服させたことが何度もあります。だから、政教分離は独裁防止にもなるのです。

ユダヤ教　ユダヤ人の民族宗教

唯一神（ヤハウェ） → 啓示 → 預言者モーセ → 律法 → ユダヤ人

キリスト教　民族を問わない世界宗教

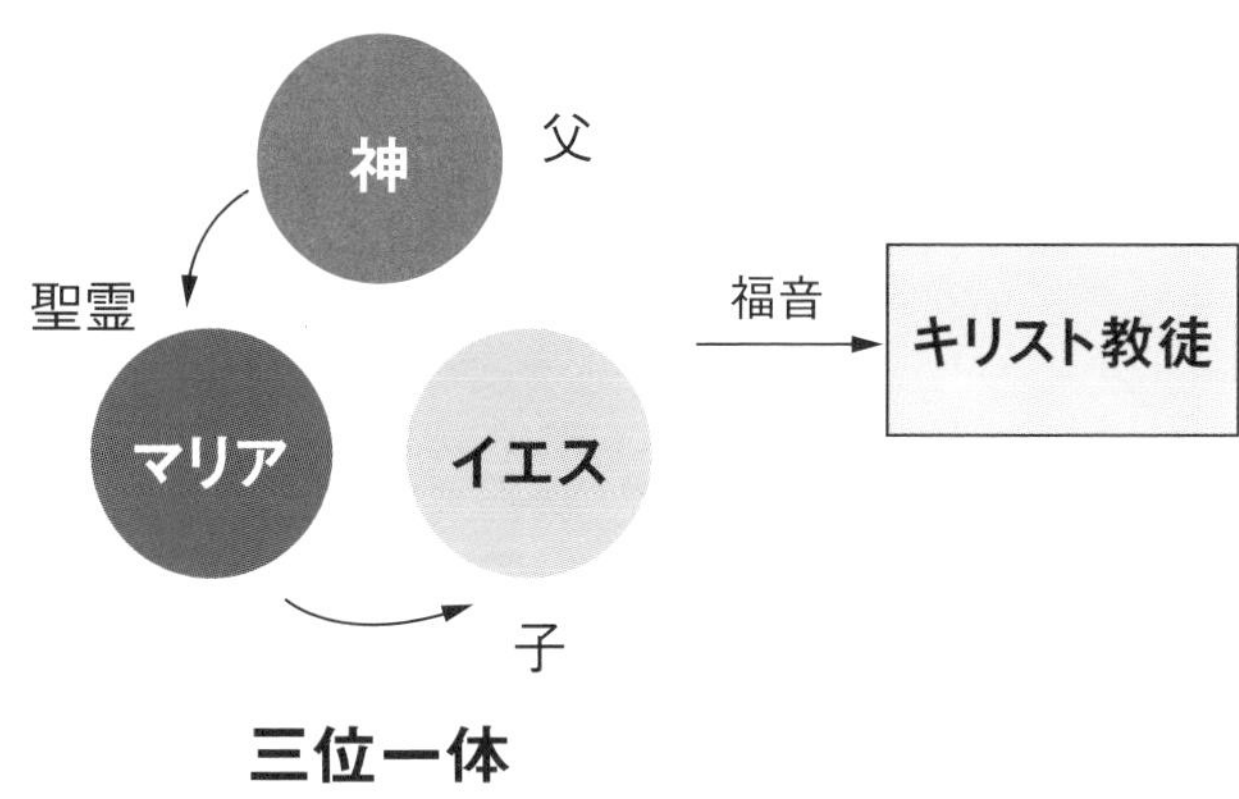

イスラム教　民族を問わない世界宗教

14 ヨーロッパ

なぜロシアと中国には民主主義が根づかないのか？

政教一致の東方正教会の流れを汲んだロシア帝国。天命で選ばれた皇帝が絶対の中国。どちらも独裁が生まれる土壌が歴史的にある。

なぜロシアと中国には民主主義が根づかないのか？

ローマ帝国分裂後、ギリシアを中心に残った国を「**東ローマ帝国**」といいます。

その後、イスラム教徒にシリアやエジプトを奪われたため、ギリシアとバルカン半島を治めるだけの小国へと収縮していきます。こうなると、**「東ローマ」というのは名ばかりで、実質はギリシアです。**ギリシア化が進んだ東ローマのことを「**ビザンツ帝国**」ともいいます。

ローマ帝国が東西に割れると同時に、キリスト教も東西に分裂しました。東ローマ帝国は、その都であったコンスタンティノープルを中心とする「**東方正教会**（とうほうせいきょうかい）」を国教としました。

東方正教会の特徴は、政教一致。東ローマ皇帝がキリストに代わって国を治める。皇帝が、正教会の人事権も握ることとなります。

政治権力と宗教が一体化しているということは、皇帝に対する反抗は、神への反逆になるということを意味します。だから、一切逆らえない。したがって、東ローマ帝国は独裁政治を維持できたのです。**実は、この政教一致体制をそのまま受け継いだのが、ロシア帝国です。**ロシア皇帝は、自動的にロシア正教会を支配する。**ロシアのキリスト教徒は、政教両権を握る皇帝に反抗することができません。ですので、自動的にロシアの政治は独裁になる。つまり、ロシアの伝統からは民主主義は生まれにくい**のです。

東ローマ帝国やロシアと同じように、政教一致の大国がもうひとつあります。**中国**です。中国の古代思想では、宇宙全体を支配する神のことを「天」といいます。**天が人類の中で最も徳の高い人間（有徳者）を、皇帝として選ぶとされています。天の命令を受けることを「天命が下る」といい、だから皇帝のことを「天子**（てんし）**」という**のです。

皇帝は天が選んだ「天子」なので、誰にも批判ができません。中国の政治も強烈な独裁政治となります。独裁をしやすいといっても、皇帝が道を誤って悪政を行った場合は、天命が離れます。つまり、別の有徳者に天命が下って、暴君を倒すのです。これを「**易姓革命**（えきせい）」といいます。だから、中国は皇帝になるのに血縁は関係ありません。たとえ農民出身であっても、皇帝になれます。漢王朝を建てた劉邦という男も農民出身でした。

ここで問題なのは、天は抽象概念なので、「天から声がする」わけではありません。実際に天命を聞くことはできないのです。

ということは、武力や金、人を集めた実力者が有徳者を偽装し、「これは天命だから」と言って、時の皇帝を殺害することができる。つまり、**易姓革命の実態は、狡猾な野心家による暴力革命なのです。**前王朝の最後の皇帝を脅迫して、平和的な王朝交代の儀式を演出することもあります。これを「**禅譲**（ぜんじょう）」というのですが、禅譲させたあとは、前皇帝とその一族を皆殺し、ということを平然とやります。

中国の歴史を読むと、裏切りと反乱の連続です。逆賊が皇帝になるのは当たり前。暴力が中国流の革命なのです。中華人民共和国を建国した**毛沢東**（もうたくとう）も同じ。彼も「革命は銃口から生まれる」と言っています。**中国において、時の権力者を超える権威は存在しないので、政府の批判はできない。だからこそ、権力者を倒す唯一の方法が、暴力**なのです。

これは、政教分離の国である日本との根本的な違いです。中国は軍事力を押さえたものが誰でも皇帝になれますが、日本では天皇の権威を超えることは許されません。

日本と中国が相容れない原因も、ここにあります。西ヨーロッパとロシアが相容れない要因も同じです。

なぜロシアと中国は民主主義が根づかないのか？

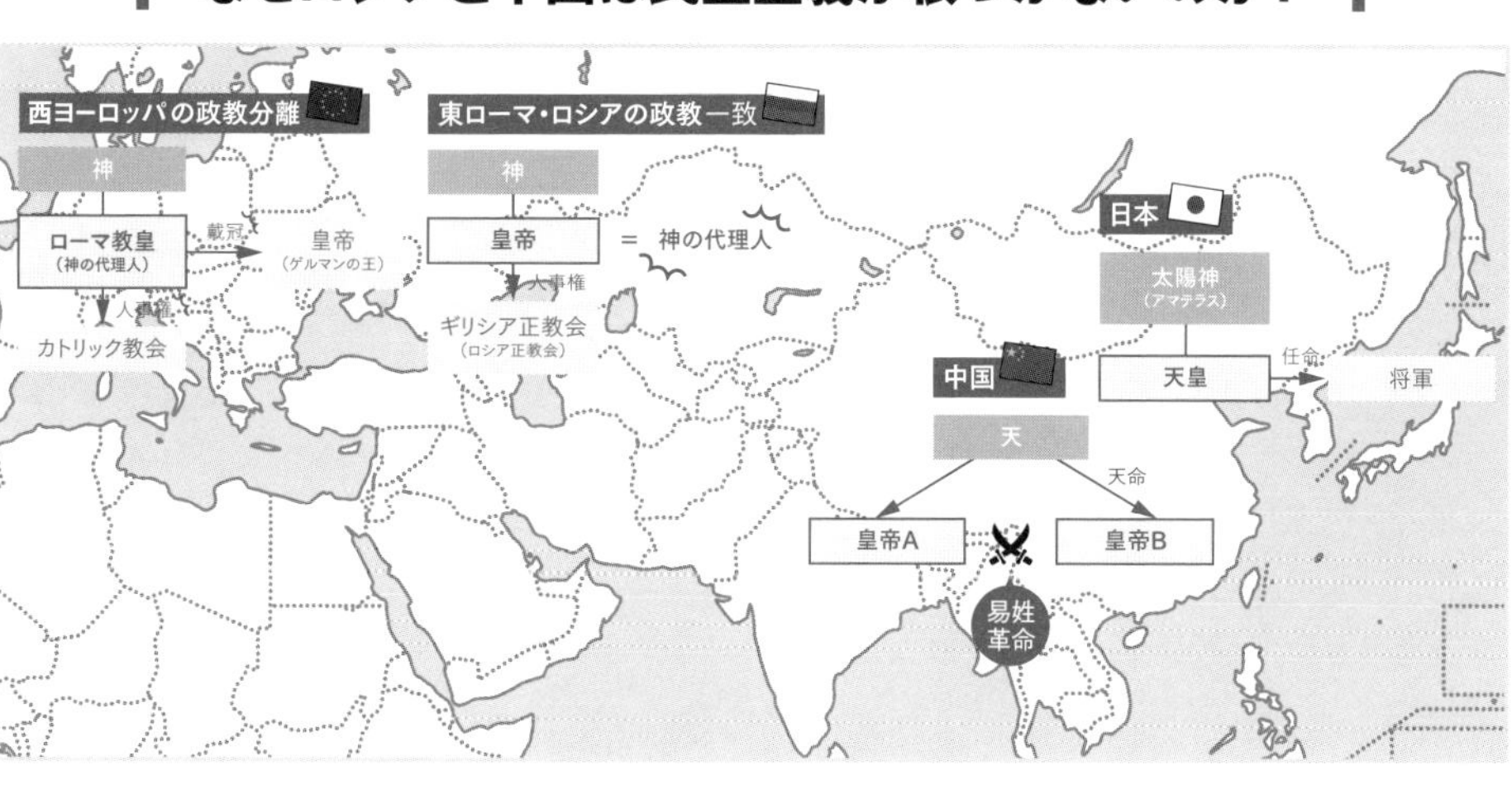

ロシアとウクライナはなぜ対立するのか？

鎌倉時代に「**元寇**（げんこう）」といって、モンゴル帝国（元朝）の**フビライ・ハン**が2度にわたって日本の九州地方に攻めてきました。同じ頃、フビライのいとこであるバトゥが率いるモンゴル軍は、ウクライナにあった**キエフ公国**を滅ぼし、**ポーランド、ハンガリー**まで侵略しました。

そのままモンゴル軍は駐留を続け、バトゥはウクライナを中心に**キプチャク・ハン国**を建てました。これ以後モンゴルが、ロシアとウクライナを200年間にわたって支配したのです。

もともとロシア人とウクライナ人は兄弟みたいな民族。多少言葉は違いますが、同じ系統の言語です。宗教も同じ東方正教会、文字も同じキリル文字で、ギリシア文化の影響を受けています。ところが、モンゴル支配を脱したウクライナとロシアは、まったく違う道を歩むことになります。モンゴル人の撤退にともなってウクライナに進出してきたのが、ポーランドでした。

ポーランドはカトリックなので、西ヨーロッパ諸国と同じく、政治権力者の独裁を嫌う伝統があります。冷戦末期に、ポーランド共産党の独裁に立ち向かったのが、ポーランド人の教皇**ヨハネ・パウロ2世**でした。一方、長くモンゴル帝国の支配下にあったロシアでは、**モスクワ大公**という貴族が台頭しました。モスクワ大公は、モンゴル人の王女を妃に迎えて混血が進み、血統的にもモンゴルと一体化していきました。**もともとのギリシア正教系の文化に、モンゴル帝国の文化がプラスされたのが、ロシア人です。**

一方、**ギリシア正教系の文化に、ポーランド系カトリック文化がプラスされたのがウクライナ人**です。たとえて言えば、ロシアとウクライナは仲の良い兄弟だったけれど、幼いときに生き別れてしまって、別々の家庭に育ったようなものなのです。

ロシアがこれほどウクライナにこだわる理由は？

ロシアが常にウクライナを支配下に治めようとしてきたのには2つ理由があります。ひとつは、ロシアは寒くて食料が乏しいから。その点、ウクライナは温暖な気候で、豊かな穀倉地帯をもっています。もうひとつは、黒海への出口だからという地政学的な理由です。**ウクライナの南に突き出たクリミア半島を領土としておけば、黒海へ出ることができます。**18世紀後半、ロシアの女帝エカチェリーナがオスマン帝国を破ってクリミア半島を併合します。ロシア人がどんどん移住してきて、**セヴァストーポリ軍港**を築き、ここを母港とする**ロシア黒海艦隊**を編成したのです。

今日でもクリミアの人口の6割がロシア人、2割半がウクライナ人、残りがタタール人（イスラム教徒）です。

ロシアとウクライナの紛争で、クリミア住民の多くがロシア側につくのは、このような歴史的背景があるからです。

15 ヨーロッパ

ロシアのクリミア併合はなぜ起きた？

ドニエプル川を挟んで東西で親ロシア派とポーランド支配を長く受けた親欧米派に分かれるウクライナ。片方が優位になると片方の不満が高まる。

ウクライナ内戦の歴史的背景とは？

ひと口にウクライナ人といっても、東西で大きく2つに分けることができます。

ウクライナの国土の真ん中に**ドニエプル川**が流れ、川の東にはロシアから移住してきた人々が多く住んでいます。当然、ほとんどが親ロシア派です。

ドニエプル川の西は、歴史的にポーランドの支配を長く受けてきた本来のウクライナ人が多いため、完全に親欧米派でEU加盟を熱望している。**東西で親ロシアと親欧米で二分されるので、ウクライナで大統領選挙をすると、きれいに票が割れる**のです。東側は必ず親ロシア派の候補に投票し、西側は親欧米派の候補に投票する。だから、どちらの候補が勝っても、反対側は不平不満を言うことになります。

ウクライナ危機の引き金は、2013年11月、親ロシア派のヤヌコヴィッチ大統領がEU加盟手続きを停止したことでした。

それ以前のウクライナは、親欧米派政権がEU（欧州連合）への加盟交渉を進め、ロシアとの関係が悪化していました。親ロシア派のヤヌコヴィッチ政権はちゃぶ台返しをして、EU加盟交渉を中断させました。「ウクライナはEUではなく、ロシア側につくべきだ」とぶち上げて、ロシアのプーチン大統領を喜ばせたのです。

ところが、西部の親欧米派のウクライナ人たちが、「冗談ではない！」と怒りを爆発させて内戦状態になり、ヤヌコヴィッチ大統領はロシアへ亡命します。親欧米派の暫定政権が発足しますが、これに対してロシア系の多い東部諸州が独立の動きを見せ、ロシア軍がこれを支援したため、ウクライナ国内は大混乱に陥りました。

ロシア系の多いクリミア自治共和国も住民投票を実施し、「ウクライナからの独立と、ロシアへの編入」に賛成する票が大多数を占めました。この結果を受けて、プーチン大統領は、クリミアの編入を決めたのです。

こうなると、問題を解決するのは簡単ではありません。**EU加盟も「住民の意思」。ロシアへの編入も「住民の意思」**だからです。

根本的な問題解決には、ドニエプル川を境に親ロシア派と親欧米派とで、東西に分裂するしかないでしょう。国を分割する以外に解決策がないという意味では、イラクやシリアと同じなのです。

ロシア軍はクリミア紛争に軍事介入したのか？

クリミア半島の南岸、黒海に面したセヴァストーポリの海軍基地は、日本でいうと横須賀のような巨大軍港です。

帝政ロシア時代からロシア黒海艦隊の母港だったのですが、1991年のソ連崩壊により独立したウクライナ領となり、ロシアが海軍基地をウクライナから借りるという形で落ち着きました。

「借りている」ということは、当然、ウクライナの親欧米派政権としては返してほしい。実際に返還する期限も迫っていました。プーチン大統領は、おそらくこう考えたでしょう。

「ウクライナの親欧米派政権はクリミアのロシア軍を撤退させたあと、NATOに加盟して米軍の駐留を許すかもしれない。これは、ロシアにとって重大な脅威となる」「クリミア全体をロシアに編入してしまえば、セヴァストーポリ軍港をウクライナへ返す必要はなくなる」と。

ウクライナの混乱は、ロシアにとっては、セヴァストーポリ軍港を守るための最後の機会だっ

ロシアとウクライナの関係

ロシア（モスクワ）
ドイツ
ポーランド
ウクライナ（キエフ）
クリミア
セヴァストーポリ軍港（ロシア黒海艦隊）
ジョージア
トルコ
シリア
NATO加盟国

たというわけです。

　クリミア半島をロシアが編入する際に、「覆面をした正体不明の武装集団があらわれ、ウクライナ軍基地を襲って武装解除させた」というニュースが流れました。

　セヴァストーポリに駐在しているロシア正規軍が、ウクライナ軍を襲ったことが明らかになれば、さすがに国際問題になるので、ロシア兵に覆面をさせて民兵に偽装させ、編入の手助けをさせたというのが真相のようです。

　ただの民兵に、ウクライナ正規軍を武装解除できるわけがありません。このような「謎の集団」は、ウクライナ東部諸州の独立運動でも「活躍」しています。

アメリカがウクライナを支援するのはなぜ？

　ロシアが強引にクリミア半島を編入すると、アメリカとEUは強く反発してプーチン政権を非難し、ロシアの政府高官や企業家の資産凍結や**G8**への参加停止などの制裁を科すことを決定しました。

　なぜ、アメリカはロシアを非難し、ウクライナ政府を支援しているのでしょうか。

　それは**「ウクライナをNATOに加入させたい」というのがアメリカの本心**だからです。クリミアに米軍基地を置いて睨みをきかせれば、ロシアはもう手も足も出ない。ロシアの封じ込めがアメリカの究極の目的です。だからアメリカは一貫してウクライナを応援してきたのです。

　アメリカは、これまで一貫してロシアの弱体化を目標としてきました。ソ連解体のときも、ソ連からの独立を目指す勢力を応援しました。ウクライナの経済自由化や**「オレンジ革命」**をはじめとする民主化運動に対して、多額の援助をしてきたのは、アメリカの民主党政権と、これを支える巨大金融資本（ヘッジファンド）を率いたジョージ・ソロスの**オープン・ソサエティ財団**です。

　一方のロシアは、近年、防戦一方でした。ロシアの勢力がいちばん強かったのは冷戦期です。

　1989年の東ヨーロッパの自由化運動をきっかけにゴルバチョフ政権が東欧から撤退。そのあとソ連（共産主義ロシア）自体も崩壊し、ウクライナなどの国々が独立することになりました。

　領土が縮小し続けてきたロシアですが、2000年代以降はプーチン大統領の強いリーダーシップのもと、もう一度勢力を拡大しようとしたため、再びアメリカ、EUとぶつかっている、というわけです。

　一国主義のトランプ共和党政権の成立は、同じナショナリストであるプーチンにとって追い風になりました。米大統領選で、**ロシアの情報機関はトランプが優勢になるよう働きかけました。逆にウクライナの親欧米政権は、民主党を支援しました**。ロシア・ゲートとか、ウクライナ疑惑とかいわれている対立の構図はこういうことなのです。

　今ヨーロッパで起こっている紛争の根本原因は、「いったいどこまでがヨーロッパなのか」という点に尽きます。

　クリミア半島の問題も「ウクライナはヨーロッパなのか、それともロシアなのか」という綱引きを、欧米とロシアの間で繰り広げているようなものです。まさに前述した「文明の衝突」がウクライナで起きているのです。

揺れるEUはなぜ生まれた?

経済力と軍事力で突出してきたドイツを封じ込めたいヨーロッパ各国。一方で「一つの国」の理念のもと国境線も曖昧なところから独立運動の火種が。

そもそも、EUとは何か?

2016年6月、イギリスは国民投票の結果、**欧州連合(EU)**からの離脱を決めました。投票結果は、離脱支持51・89%、残留支持48・11%という僅差でした。

保守党政権内も分裂し、**ブレグジット**に慎重だった女性首相**テリーザ・メイ**は辞任に追い込まれ、離脱積極派の**ボリス・ジョンソン**首相が下院議会選挙で圧勝した結果、2020年1月末のブレグジットが確定したのです。

1952年にEUの前身である**ECSC(ヨーロッパ石炭鉄鋼共同体)**が誕生して以来、これまで加盟国が増えることはあっても、一度として減ったことがないEUにとって、今回は歴史的な転換点ということができます。

なぜ、イギリスはEU離脱を選択したのでしょうか。このままEUは解体していくのでしょうか。これからの世界を読み解くために、ヨーロッパで起きていることを概観することは、外せない要素です。イギリスのEU離脱について理解するには、「そもそもEUとは何か?」という点を押さえておく必要があります。

EUのキーワードとなるのは、今も昔も「ドイツ」です。イギリスのEU離脱も、ドイツという国の存在が背景にあります。

ヨーロッパのど真ん中に位置するドイツは、歴史的に見て、ヨーロッパの「暴れん坊」といえます。周辺国を圧倒する軍事力を有し、第一次大戦、第二次大戦では結果的に敗戦国となったものの、イギリスやフランス、ロシアといった強国を相手に大暴れし、周辺国を恐怖に陥れました。言葉は悪いですが、ドイツはヨーロッパ内で札付きのワルとして恐れられていたのですね。

しかも、軍事面だけでなく、経済面も優秀でした。産業革命でイギリスに後れをとったドイツは工業後進国であったにもかかわらず、勤勉さや秩序を尊重する国民性から工業国としても急速に発展を遂げ、軍事力を増強することに成功しました。したがって、**ヨーロッパの国々にとっては、「軍事力でも経済力でも優秀なドイツを、どうやって封じ込めるか」が常にいちばんのテーマ**だったのです。

第二次大戦の敗北でヒトラー政権が崩壊したあと、ヨーロッパ諸国は「暴れん坊のドイツ」が二度と蘇ることがないよう、さまざまな手を打ちました。

そのうちのひとつが、ドイツを2つの国に分けること。戦後、ソ連とアメリカ、イギリス、フランスの戦勝4カ国によって占領され、ソ連占領下の**東ドイツ**(民主共和国)と、西側3国の占領下の**西ドイツ**(連邦共和国)に分割、首都ベルリンも東西に分断されました。東ドイツは、ソ連の同盟国となり、**ワルシャワ条約機構(WTO)**という社会主義圏(共産圏)の国々で構成される軍事同盟に組み込まれました。

米ソの冷戦が始まると、西ドイツはアメリカの同盟国となり、イギリスやフランスなど西側国々で構成される**NATO(北大西洋条約機構)**に組み込まれることになりました。表向きの理由はソ連に対抗することでしたが、ドイツを自由にさせず、しっかり手綱を握っておくことも隠された狙いだったのです。

フランスがドイツを恐れるのはなぜ?

ドイツを最も恐れていたのは、隣国のフランスです。なぜなら、**フランスは3度、ドイツに侵略**

された歴史があるからです。そんな屈辱の歴史をもつフランスが常に考えてきたのは、二度とドイツが攻めてこないようにすること。

第一次大戦後は、ドイツを痛めつけることによって弱体化させようと試みました。ドイツに全植民地と海外の一切の権利を放棄させ、巨額の賠償金を支払わせることを決めました。さらには、**ビスマルク**時代にドイツが獲得したアルザス・ロレーヌ地方をフランスに返還させました。

しかし、戦後、大きな代償を払うこととなったドイツ国民の不満は募っていきます。その結果、**世界恐慌**の影響で失業を余儀なくされた人々の支持を集めた**ヒトラー**率いる**ナチス**が躍進。ヨーロッパは第二次大戦の渦に巻き込まれることになります。

ヨーロッパ連合（EU）の現状

「ドイツを痛めつけすぎたことが、ナチスを生んだ」教訓を得たフランスは、第二次大戦後、今度はドイツを叩きのめすのではなく、逆にドイツ国民がなんとか生活できるような配慮をしたのです。具体的には、フランスはドイツに賠償金を求めませんでした。そして、ドイツとフランスの係争地だったアルザス・ロレーヌ地方の地下資源を共同利用することにしました。これをきっかけにドイツとフランスの和解が進みます。

１９５２年、石炭と鉄鋼石を周辺国で共同管理し、これらの資源の単一市場を創設することになりました。つまり、**国境間で関税をかけないという約束事を決定**したのです。これを**ＥＣＳＣ（ヨーロッパ石炭鉄鋼共同体）**といいます。

それから、１９６７年にＥＣＳＣが発展する形で生まれたのがＥＵの前身である**ＥＣ（ヨーロッパ共同体）**です。フランス、西ドイツ、ベルギー、イタリア、ルクセンブルク、オランダの６カ国が経済的な共同体をつくり、関税を撤廃。国境線をなくし、人・モノ・資本が自由に移動できる市場統合を成し遂げたのです。

この段階ではまだ、それぞれの国に政府が存在し、ＥＵのような統合体が生まれたわけではありません。あくまでも市場統合のみです。今でいうと、**TPPの西ヨーロッパ版のようなイメージ**です。そしてＥＣは、冷戦終結後にＥＵへと発展を遂げます。このようにＥＵは、ドイツを恐れていたフランスなど周辺国による「ドイツ封じ込め対策」に端を発しているのです。

17 ヨーロッパ

なぜヨーロッパで移民問題が深刻化するのか？

ヨーロッパ植民地だったアフリカ各国、内戦が続く中東などから仕事と安全を求める移民がEU圏へ。文化の違いと社会不安から移民排斥が活発化。

ヨーロッパの移民問題はなぜ深刻化したのか？

チュニジアの民主化デモに端を発した「アラブの春」以降、混乱が続くアラブ諸国では、庶民は窮乏しました。食えない人が手っ取り早く稼ぐ方法は、ヨーロッパ諸国への「出稼ぎ」です。イギリスの植民地だったエジプト人は英語が話せます。アルジェリア人やチュニジア人はフランス語ができます。言葉の壁がないうえに、地理的にも近いので、移民としてどんどん船でヨーロッパに渡っていくのです。さらには、サハラ砂漠以南のアフリカ諸国からも、北アフリカ経由でヨーロッパへ不法移民が押し寄せています。

密航船は、モロッコからスペインに渡るルートと、チュニジアからイタリアに渡るルートがあり、決死の覚悟で地中海を渡ってきます。**北アフリカからの移民は、1960年代からすでに活発でした。**当時はまだヨーロッパの景気が良かったので、各国は合法的に移民労働者を受け入れ、パリやローマの郊外に、移民向けの集合住宅が大量につくられました。

現在でもローマに行くと、「ここは本当にローマ？」と疑うほど人種のるつぼです。少し裏道に入ると、1ブロック全体が黒人という地域もあります。フランスも人口の約1割がイスラム教徒ですし、**2009年に、イギリスで生まれた男の子の名前でいちばん多かったのが「ムハンマド」でした。イスラム教徒の出生率が高い**からです。

石油危機（1973年）以降、ヨーロッパは慢性的な不景気に陥り、仕事が減っていきました。にもかかわらず、出稼ぎでやってきた移民たちはそのまま居座り、家族を呼び寄せるケースがほとんど。大きな社会問題となっていったのです。

パリ近郊の移民団地では、失業者の急増により極度に治安が悪化したうえ、暴動も相次ぎます。この結果、もともと住んでいたフランス人が逃げてしまうという事態に陥りました。こうした現象がヨーロッパの各地で発生したのです。

シリア内戦の激化にともない、ヨーロッパへの移民ルートがもう一本開かれました。2015年以降、数十万人のシリア難民が押し寄せるようになり、**通路となったハンガリー、セルビアなど東欧各国では、社会不安が広がっています。**

ISやアサド政権から迫害され、あるいは内戦で住む場所をなくした政治難民だけでなく、ドイツでの豊かな暮らしを求める経済難民（移民労働者）、ISのテロリストも混ざっていて選別ができない状態です。東欧各国は国境にフェンスを建設して、移民の流入をストップしています。

こうした背景から、**各国で「偽装難民や不法移民を取り締まれ」という声が大きくなってきました。**フランスでは、マリー・ルペン党首が率いる国民戦線という移民排斥を唱える政党が大躍進し、大量の難民を受け入れたドイツのケルンでは、2015年の大晦日に難民の若者がドイツ女性を集団暴行する事件を起こしました。

仕事もない、白人からは排斥される。移民の若者たちが、ネットを通じて**IS（イスラム国）**の宣伝ビデオを見たとき、そこに「自分の居場所」を感じてしまう。2015年11月、13日の金曜日の夜にパリの劇場とレストランで同時テロを起こした犯人たちは、ベルギーで生まれた北アフリカ系移民の2世、3世でした。背景には、移民問題がもたらしたヨーロッパ社会の矛盾があるのです。

なぜドイツにはトルコ系移民が多いのか？

1973年に起きた第一次石油危機の前まで、

ヨーロッパ移民（難民）ルート

イギリス
ドイツ
ポーランド
ロシア
チェコ
ウクライナ
フランス
ハンガリー
ルーマニア
イタリア
ハルカン半島
黒海
ブルガリア
スペイン
ギリシア
トルコ
地中海
シリア
モロッコ
チュニジア
イラク
アルジェリア
リビア
エジプト
サウジアラビア

「EU・トルコ声明」の主な合意内容
（駐日欧州連合代表部）

トルコからギリシア諸島に渡る全ての新たな非正規移民と、難民認定を受けられなかった庇護申請者をトルコに送還し、その費用はEUが担う
トルコがギリシア諸島からの送還を受け入れるシリア人1人に対し、トルコからEU加盟国にシリア人1人を定住させる
シリア国内で同国民や避難民がより安全な地域で暮らせるよう、人道的状況を改善させるためのあらゆる共同取り組みにおいてトルコと連携する

EC（現EU）はうまくいっていました。

戦後復興の経済成長で景気がよくなると、働き手が足りなくなるのは、いつの時代も同じです。そこで、**ECの加盟国は移民を受け入れることを決断**します。その時代に移民としてヨーロッパに入ってきたのが、北アフリカやトルコ出身のイスラム教徒でした。

アルジェリアやチュニジア、モロッコなどがある北アフリカは、もともとフランス領でしたから、フランス語も堪能です。彼らが職を求めて大挙してフランスに流れ込んできました。パリの周辺には移民のためのニュータウンができ、住民のほとんどがアラブ系、という街が次々に誕生したほど。そんな北アフリカの移民が、好景気にわくフランスの経済を支えていたのです。

ドイツには、トルコ人が大挙して出稼ぎにやってきました。なぜ、トルコ人かというと、**トルコ人は心情的にドイツに好感をもっているから**です。歴史的にいうと、トルコ人にはイギリスやフランスに「いじめられた」記憶があります。トルコ人のオスマン帝国は、第一次大戦の敗戦によって、支配下においていたアラブ地域の領土をイギリス、フランス、ロシアの3国に分割され、奪われてしまいます。この取り決めを「サイクス・ピコ協定」といいますが、その後、オスマン帝国は滅亡、トルコは大幅な領土縮小を余儀なくされました。

したがって、**トルコ人にとって、「二度の大戦を通じて宿敵のイギリスやフランス、そしてロシアと戦ったドイツは偉い」**というわけです。ちなみに、トルコ人が日本に好感をもっているのも根は同じで、日露戦争や第二次大戦でロシアやイギリスと一戦交えた歴史が根底にあるのです。

移民問題については、近年になってクローズアップされている印象があるかもしれませんが、50年以上も前から数多くの移民がヨーロッパにやってきていたのです。

なぜ今、移民排斥が問題になるのか？

石油危機後の景気低迷で、仕事が急速になくなった時点で出稼ぎに来ていた移民が祖国に帰れば問題はありませんでした。ところが、**彼らは生活水準の高いヨーロッパに居すわり、家族まで呼び寄せました**。しかも、イスラム教は避妊を禁止しているため、すぐに二世、三世が移民先で生まれ、移民だけのコミュニティーを作っていく。

しかし、フランスで生活するからといって、イスラム教徒はフランスの価値観や文化をなかなか受け入れようとしません。女性のスカーフ着用など、あくまでもイスラムの伝統に従って生活していました。こうした価値観や文化の違いから、フランスに根を下ろしたイスラム教徒の移民たちと、フランス人との間で少しずつ軋轢が生じ始めました。

そして、1980年代に入ると、**ジャン＝マリー・ルペン**という政治家が脚光を浴びるようになります。反EU、反移民を唱える民族主義政党「国民戦線」の創始者で、娘が後継者の**マリーヌ・ルペン**です。国民戦線は「景気低迷で仕事がないのに、どんどん移民は増えていく。移民がフランス人の仕事を奪っている」というフランスの低所得者の不満を代弁し、彼が唱えた思想はヨーロッパ各国で支持を広げていきました。その背景には、北アフリカやトルコなどからの移民の流入があったのです。

18 ヨーロッパ

ヨーロッパの「極右政党」は何を意味するのか?

インターネットで極右の過激なイメージが変化。移民や難民流入に対する不安の高まりも背景にヨーロッパ各地で極右政党が支持を伸ばす。

「極右政党」がこれほど熱狂的に支持されるのはなぜか?

フランスの「国民戦線」を筆頭に、大手メディアが「**極右政党**(きょくう)」のレッテル貼りをする民族主義政党が、ヨーロッパ各国で一定の支持を集めていきます。

なぜ、風向きが変わり、ヨーロッパの人たちは内向きになってきたのでしょうか。

フランスの場合でいえば、「**国民戦線**」という政党自体が洗練されてきたことが要因のひとつです。娘のマリーヌ・ルペンが党首の座を継いでから、中道路線に舵を切り、声高に「外国人排斥」などとは主張しなくなりました。代わりに「フランス人の雇用不安を解消しないまま不法移民を受け入れてはいけない」と穏やかな物いいをしています。主張していることは、アメリカのトランプと変わらず、トランプも彼女を支持しています。

また、マリーヌ・ルペンの「働く女性」のイメージも功を奏して、「極右」のイメージをマイルドにすることに成功したといえます。このように**国民戦線の過激なイメージが少し変わってきたことで、これまで「極右」を毛嫌いしてきた女性や若者の間で支持を広げることに成功**したのです。**「極右」の支持が広がる決定的要因となったのは、シリア難民の大量流入です。**

フランスにはすでに、北アフリカ系の移民がたくさん住んでいましたが、2015年以降、シリア難民が合流しました。その中にはIS系の工作員が紛れ込み、前からフランスに住んでいた北アフリカ系の移民の二世や三世に、「ISで一緒に活動しないか」とさかんに勧誘活動をしていたようです。

ISはリクルート戦略に長けています。対面での勧誘に加え、インターネットも駆使して「キミたちも十字軍と闘う勇敢なイスラムの戦士になれる」などと巧みに宣伝活動をしていたのです。

フランスで仕事も得られず、「二流市民」のように扱われてきた移民系の若者たちが、鬱屈した心情を胸にISに傾倒していったようです。フランスからISに参加した人のほとんどは、実はフランス生まれの移民の二世や三世でした。

彼らがISに参加していったのは、経済的な困窮だけが原因ではありません。

「心」の問題も大きかったはずです。父や祖父は貧しさを解消するという明確な目的をもってフランスに出稼ぎにやってきた。けれど、自分たちはフランスで生まれ育ち、フランス語しか話せないのに、世間からはまっとうなフランス人として扱われない……。こうして自分の存在意義に疑問をもつ若者の心のすき間に、ISはスッと入り込んだのです。

日本でもかつて、学歴が高く、優秀な若者たちがオウム真理教に入信し、結果的に数々の事件を起こしましたが、構造は同じ、心の問題。フランスと同様のことは、他のヨーロッパの国々でも起こっています。日本人ジャーナリストの後藤健二さんを殺害した黒マスクの男(ニックネームはジハーディ・ジョン)は、ロンドンにいた若者で、もともとはラップミュージシャンとして活動していたとされています。彼をはじめ、多くのヨーロッパ生まれの若者がISにリクルートされていきました。

パリやブリュッセル、ロンドンなどヨーロッパの各地で一般人を狙ったテロが断続的に発生していますが、それらの**実行犯の多くは、ヨーロッパで生まれ育ち、ISに参加した若者**です。シリア難民の増加に便乗する形で、ISがヨーロッパの若者を凶悪なテロリストに仕立て上げ、社会を恐

ヨーロッパの主なナショナリスト政党

**欧州議会にも議席を持つ
ヨーロッパの主なナショナリスト政党**

- **フランス**：国民連合（RN）
- **イタリア**：同盟
- **ハンガリー**：フィデス・ハンガリー市民連盟
- **ドイツ**：ドイツのための選択肢（AfD）
- **スペイン**：VOX

イギリスのEUからの早期離脱を目指す「ブレグジット党」などとも協力関係を模索

欧州懐疑主義、反移民などの主張を持つ

怖に陥れている。そうした背景から、移民排斥の声が大きくなり、各地で「極右」政党が支持を伸ばしているのです。

それでも移民受け入れをやめないのはなぜ？

ヨーロッパの移民問題には、EU圏外からの移民が引き起こす問題のほかに、もうひとつの側面があります。

EU圏内からの移民、**元共産圏だった東ヨーロッパの貧しい国々や、財政破綻の危機が慢性化しているギリシアなどからの移民によって生じている問題です**。経済水準が低い国から、西ヨーロッパの国々に出稼ぎにやって来る人がたくさんいることが深刻な問題をはらんでいるのです。

基本的に、東ヨーロッパやギリシアからやってくる移民の流れを食い止めることはできません。すでにEUに加盟して、「シェンゲン協定」を結んでいるからです。これは、**EU域内の人や物の移動の自由に関する協定で、国境線をなくすことを意味します**。だから、出稼ぎをしたい移民はパスポートがなくても、フリーパスで仕事を求めて移動ができるのです。

そうした状況のしわ寄せをくらうことになるのは、フランスやイギリス、ドイツなど移民を受け入れる豊かな国々の労働者層です。ただでさえ、EU圏外からの移民によって安全な生活が脅かされ、職も奪われている。それに加えて、EU圏内からも職を求めて移民がどっと押し寄せてくるわけですから、国民が不満を抱えるのは当然。

EUはシリア難民の急増が政治問題化したことを受けて、一部を強制送還したり、新たに入ってくる移民の受け入れを一時ストップしたりするなど対策に乗り出しましたが、根本的な解決には至っていません。

ここで、ひとつ疑問が生じます。なぜ、EUはこれまで「移民受け入れをやめる」と決断することができなかったのでしょうか。不思議ですね。実は、移民を受け入れることによって懐が潤う人たちがいるからです。それは、どこの誰でしょうか。

答えは、経済界、産業界です。**とりわけドイツの輸出産業が移民の受け入れに賛成してきました**。移民は、安価な労働力の供給源となるからです。彼らは営利企業ですから、自分の会社が儲かることが最優先。一般のドイツ人が移民の受け入れによってデメリットを被っていることについては、見て見ぬふりをしてきたのです。

そうなると、経済界をスポンサーとしている大手メディアが移民に賛成のスタンスをとることも、ドイツの経済界が支持しているメルケル政権が移民に寛容であり続けたことも、納得がいきます。実際、**メルケル首相**は移民受け入れを推進し、2015年には110万人もの難民を受け入れました。

経済面でEUを牽引するドイツが移民に積極的であれば、他のEU加盟国は追随せざるを得ません。**EUが移民受け入れをやめられない背景には、ドイツ経済界の存在があった**のです。

その後、ドイツ国内でのISによるテロや犯罪の増加などを受けて、さすがに国民からも「移民排斥」の声が上がり、ナショナリスト政党のAfDが支持を集め始めました。それでも、メディアはAfDを叩き、今後も移民賛成のスタンスを貫くしかありません。メディアの資金源である経済界が移民を歓迎しているのですから。

19 ヨーロッパ

ドイツの存在感が増す理由とは?

勤労を推奨するプロテスタントの国ドイツ。EU通貨ユーロづくりの中心になり、ユーロ危機でユーロ安も輸出大国ドイツは儲けを増やした。

なぜドイツ経済だけが好調なのか?

ヨーロッパの多くの国が財政赤字に苦しむ中で、成長率が下がったとはいえドイツ経済だけが好調を維持しています。

資源に恵まれているわけでもないドイツが、なぜヨーロッパ経済全体を引っ張るような力強さを発揮できるのでしょうか。実は、**この謎にもキリスト教が関係**しています。

カトリック教会は「**勤労と蓄財は罪**」と教えていますが、こうした教えを公然と否定したのが、いわゆる宗教改革ですね。ドイツの**ルター**とスイスの**カルヴァン**です。**彼らの教えを信じる新しいキリスト教徒を総称してプロテスタント（新教徒）**といいます。

プロテスタントは、寄付金集めに熱心なカトリック教会を否定し、勤労や蓄財を罪と見なさない。一生懸命働くことが神のご意思にかなうことである、という教えです。教会で祈ることだけではなく、日々、自分の仕事を真面目に頑張ることを奨励された教徒たちは、がむしゃらに働きました。働くことが一種の信仰だったのです。**このプロテスタントの勤勉さこそが、現代の「資本主義」のバックグラウンド**となっています。

プロテスタントが広まったのは、ドイツ、イギリスをはじめとする北ヨーロッパの国々です。ちなみにフランスは、いちおうカトリックの国ですが、宗教改革の影響も強かったので、ドイツとイタリアの中間といえます。

プロテスタントの教えが影響を及ぼしたのは、ヨーロッパだけにとどまりません。**アメリカ合衆国が経済的な発展を遂げて、世界一の経済大国にのし上がったのも、プロテスタントという宗教的なバックグラウンドがあったから**です。

未知の大陸に渡って、アメリカ合衆国をつくったのは、主にイギリス系移民の新教徒（プロテスタント）でした。よく働く勤勉な人々だったからこそ、アメリカ合衆国は超大国となり得たのです。

ドイツを率いてきたメルケル首相

同じ時期にヨーロッパの移民が海を渡って開拓した中南米の国々が、アメリカ合衆国のような経済発展を遂げられなかったのはなぜでしょうか。合衆国と比べて資源も豊かなのに、なぜ……?

中南米に乗り込んでいったのは、スペイン人とポルトガル人。つまりカトリック教徒だったのです。だから南欧諸国と同じように**勤労に価値を見出せず、経済発展の面で後れをとった**のです。このような歴史を見ていくと、宗教などの文化的背景が一国の経済にもたらす影響の大きさを実感できるでしょう。

ロシアが経済大国になれないのはなぜ?

文化的背景が国の経済に影響をもたらす例を、もうひとつ見てみましょう。ロシアです。

ロシアは、国土も広く、資源にも恵まれている。それなのに経済が弱く、世界を牽引するような大企業が生まれなかったのは、なぜでしょうか。これもキリスト教が大いに関係しています。

カトリックやプロテスタントなど、西ヨーロッパのキリスト教は、罪の意識が強い。「原罪」といって、**「人間は生まれながらに罪を負っている。**

だから、**その罪を清めないと神様に救ってもらえない」という教え**です。

どうやってその原罪を清めるかというと、カトリックは教会に一生懸命寄付をすること、プロテスタントは勤勉に働くことが奨励されたのです。

ところがギリシアからロシアに広まった正教会（東方教会）は、もともと原罪の意識が希薄なのです。そういう意味で、「何かを一生懸命やらなければ」という切迫感に乏しい。

だから、カトリックとは違う理由で、勤労意欲も希薄なのです。ロシアとギリシアが経済的に弱いのも、宗教的な背景から説明できるのです。

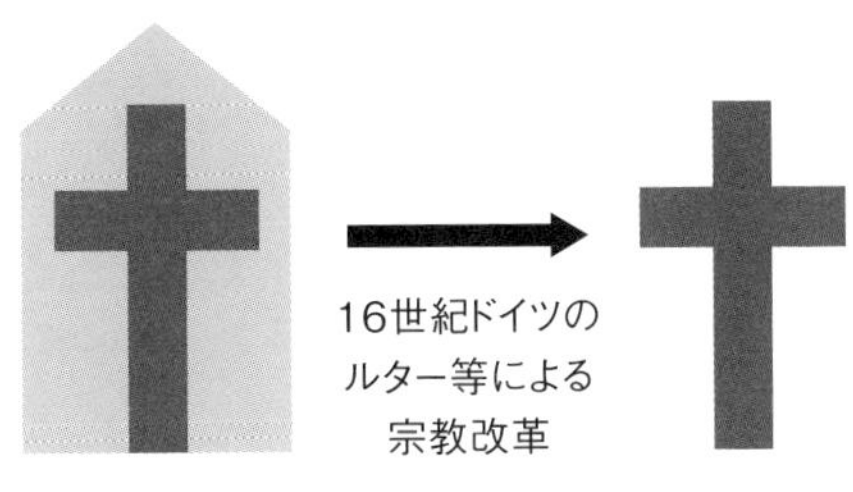

ヨーロッパ統合でもドイツ独り勝ち、本当の理由とは？

ユーロという通貨を中心となってつくったのは、フランスとドイツです。両国とも先進国ですから、フランスの発行するフラン、ドイツの発行するマルクが紙くずになるとは誰も考えません。すると投資家たちは、「両国が一緒になった通貨の価値はもっとアップするはずだ。ユーロで請求代金を受け取ってもいいだろう」と考えます。

ところが、ユーロ発足後、経済力の乏しい東ヨーロッパの国々が続々とEUに加盟。2001年にはギリシアもユーロを導入します（EC加盟は1981年）。

すると、投資家たちのユーロを見る目が変わります。「ユーロは本当に大丈夫か？」と。ギリシアは事実上10年おきに財政破綻してきた国です。もともと**ドラクマ**という自国通貨が流通していましたが、財政破綻を繰り返すような国の通貨の信用などゼロです。「ドラクマで代金を支払う」といっても、相手に受け取ってもらえない状態でした。ギリシアとしては、紙くず化したドラクマを捨ててユーロを導入することは、通貨価値が上がるわけですから大歓迎。しかも、ギリシアは大嘘をついていました。

巨額の財政赤字を抱えていたにもかかわらず、ユーロ導入時にはその事実を隠していたのです。国家ぐるみで粉飾の報告書を提出したのが、あとでバレてしまった……。企業だったら、すぐに倒産してもおかしくない愚行です。

ユーロはギリシアという「不良債権」を抱え込んでしまったのです。その結果、**ギリシアの存在が、ユーロの信用そのものを傷つけることになってしまいました。**

たとえば、ミカンをダンボールごと買ったとします。開けてみたら、中に1個だけカビだらけのミカンが入っていました。するとミカンを購入した人は、「他のミカンも傷んでいるだろう」と箱ごと返品するでしょう。同じことが、ギリシアを抱え込んだユーロでも起きてしまったのです。結果、ユーロは一斉に売られ、大きく価値が下落。これが「ユーロ危機」の顛末です。

ところが、ユーロが下落したことを喜んだ人たちがいます。ドイツの経済界です。EU加盟国でいちばんの輸出大国はドイツです。通貨が安くなることは石油など輸入品が値上がりするわけですから、デメリットが多い。逆に、輸出面ではメリットになります。**特に、品質の高い工業製品を海外で売りまくっているドイツの輸出企業にとって、ユーロ安はドイツ製品が安くなること**を意味しますから、海外市場でよく売れる。つまり、輸出大国のドイツは、ユーロ安によって国が潤うのです。

移民・難民の受け入れによってドイツ産業は潤い、ユーロの暴落でもドイツ産業は潤う。いい方は悪いですが、ドイツ（正確にはドイツの産業界）は他人の不幸で儲かり、ヨーロッパ経済が低迷している中でも独り勝ちの状態が続いてきたのです。

42ページの写真　ⓒＤＰＡ／共同通信イメージズ

20 ヨーロッパ

イギリスのEU離脱（ブレグジット）は なぜ起きた？

EU加盟国ながら「おいしいところ取り」という イギリスへの不満をかわす目的の国民投票で予想外に離脱派が勝利。国内外を揺るがす事態に。

イギリスの「EU離脱」は なぜ起きたか？

　ドイツだけがおいしい思いをしている状況を、他のEU加盟国は苦々しい心地で見ています。移民問題やユーロ安ですでに実害も出ているわけですから。だから、フランスのマリーヌ・ルペンのような民族派は「EUから離脱すべきだ」と訴え始めています。

　一方で、ドイツなしのユーロは考えられないのも事実。**ドイツの経済力があるから、ユーロの存在価値を保持できている**のです。二律背反の状況なのです。

　そんな中、2016年6月、イギリスは国民投票を実施し、EUから離脱することを決めました。イギリスの決断は、EUはもちろん、世界に衝撃を与えました。

　そもそもイギリスはEU離脱を問う国民投票を実施する必要はなかったのです。

　なぜなら、EU統一市場には入ったものの、通貨に関しては、イギリスはユーロを導入していません。**EUには加盟したけれど、独自通貨のポンドを使っているので、直接的にユーロ安の影響を受けることはないからです。**

　アメリカが世界の覇権を握る前の19世紀は、イギリスが世界一の超大国で、まさに「イギリスの時代」でした。この時代、**イギリスのポンドが世界の基軸通貨**だったのです。その誇りと伝統を守るために、イギリスはユーロを導入しないという条件でEUに加盟しました。

　しかもイギリスは、現在の安いユーロには何の興味ももっていません。**イギリスは製造業でドイツに抜かれてからは、金融業で生き延びてきたからです。つまり、金貸しです。**

　金融業者は、海外の資源やビジネスに投資して配当金を得ます。たとえば、海外の油田に投資するときは、自国通貨が強いほうが安く買うことができます。そういう意味では、輸出で稼ぐメーカーが強いドイツとは逆のスタンスといえます。**メーカーは通貨安、金融業は通貨高を歓迎するのは、世界共通の原則**です。

　今のイギリスは完全に金融国家なので、安いユーロに参加してもメリットはありません。むしろポンド高を維持したほうが世界中のいろんな資産に投資ができるのです。

　移民問題に関しても、イギリスは国境線がフリーパスになる「**シェンゲン協定**」を締結していません。したがって、**自由に移民が入ってくることはない**のです。

　ただし、イギリスは旧植民地の国々から過去にたくさんの移民を受け入れています。ロンドンに

イギリスのEU離脱問題の背景

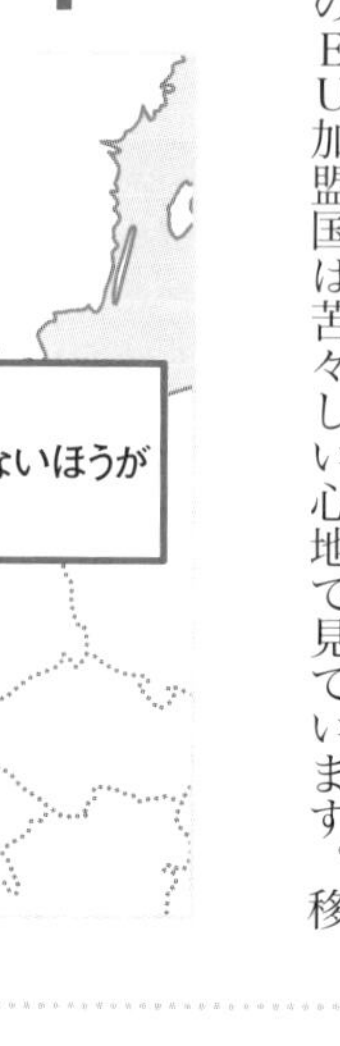

行けば、インド系やアフリカ系の人であふれています。これ以上、新しい移民を受け入れられないくらい飽和状態なのです。

つまり、イギリスはユーロ安でも移民問題でも、大きなデメリットを被っているわけではありませんでした。

少なくとも国民投票を実施した時点では、EUから離脱するという強硬策をとるメリットなどなかったのです。

なぜキャメロンは国民投票を実施したのか？

では、なぜイギリスは国民投票を実施することになったのか。

それは、当時のイギリスのキャメロン政権に対して、EU側（実質的にはドイツ）が、**「イギリスはもっと責任を果たすべきだ」とプレッシャーをかけていたから**です。

「EUのいいとこ取りばかりするな。もっと移民を受け入れて、EU予算の分担金ももっと出すべきだ」と、メルケルに、ネチネチといわれていた。実際、EUに入っていれば、イギリス製品の関税はゼロになりますから、イギリスの製造業は巨大なヨーロッパ市場に自由にアクセスできる。

英国民投票でEU離脱が決まり喜ぶ支持者

これは大きなメリットです。移民も受け入れず、ユーロも導入していないにもかかわらず、EU統一市場では自由にビジネスをしている。「イギリスはおいしいところ取りをしている」というEU側の主張にも一理あります。

業を煮やしたキャメロン政権は、ドイツを黙らせるためにひとつの賭けに出ます。

「そんなことをいわれても、国民はEUに反対している。国民の意思を示しますよ」といって、国民投票を実施することを決めました。**「メルケルのいいなりにはならない」という意思を示す「道具」として国民投票を使った**のです。このとき、キャメロンはたかをくくっていました。「国民投票をしても、EU離脱派は4割くらいだろう」と。

ところが、ふたを開けてみたら、EU離脱派が過半数（約52％）を取ってしまった。

イギリス生まれの非白人、つまり移民の2世、3世がISに入り、ロンドンでテロ事件を起こすなど「反移民」の世論が高まっていたこと、そして出口の見えない経済低迷や失業問題などが、イギリス社会に暗い影を落としていたことで、これ以上の難民受け入れはもう我慢できないという国民が多かったのでしょう。

EUに残留するつもりだったキャメロンにとっては予想外の結果でしたが、自ら蒔いた種です。世論を火遊びに使って火傷をしたわけです。

その後のテリーザ・メイ首相は優柔不断が混乱に輪をかけ辞任。ブレグジット強硬派の**ボリス・ジョンソン首相**が率いる保守党が下院選挙で圧勝し、2020年1月末のイギリスのブレグジット（離脱）が決定的になったのです。

EU離脱を訴えるボリス・ジョンソン首相

イギリスとEU各国の互いの不満

イギリスへのEU各国の不満

- 独自通貨ポンド使用によるポンド高
- 移民に関するシェンゲン協定を締結していない
- EU市場のおいしいところ取りをしている

EUへのイギリスの不満

- 巨額の負担金による財政への影響
- 移民政策のコントロール権を取り戻したい
- イギリスの利益に適う貿易交渉を行いたい
- EUの様々な規制にしばられたくない
- イギリスの独自性を強化したい

21 ヨーロッパ

ヨーロッパを覆うポピュリズムとは？

既成権力との戦いを宣言するポピュリズム。グローバリズムを信奉する経済界や既成権力との衝突は、決して目新しい現象ではない。

ポピュリズムは、本当に悪なのか？

最近はヨーロッパの選挙が近づくたびに、「**ポピュリズム**」という言葉がニュースで報道されるようになりました。アメリカのトランプやフランスのマリーヌ・ルペンが常にネガティブに報道され、「ポピュリズム＝悪」という文脈で語られることが多いように感じます。本当にそうなのでしょうか。

ポピュリズムは「**大衆迎合主義**」などと訳されますが、**本来は、既得権益層や富裕層の支配に対して、力のない民衆が立ち上がって指導者を選び、既成の秩序をぶっ壊していく現象のこと**をいいます。

こうした現象は、民主主義の機能する国では、どこでも起こり得るもので、歴史的に何度も繰り返されてきました。

時代をさかのぼると、古代ローマでもポピュリズムは起きています。古代共和制ローマ期の軍人・政治家である**カエサル**もポピュリズムの申し子といえるでしょう。貴族層の牙城であった元老院はまさに既得権益の塊ともいえる存在。彼はその**元老院と闘うことで民衆から熱狂的な支持で迎えられ、結果、独裁政治を実現**しました。

ある意味、**ナポレオン**もポピュリストです。ナポレオンはフランス革命後の混乱を収拾し、国民投票を経て、皇帝になっています。独裁者ではありますが、まさに民衆の味方でもありました。

アメリカにも、ポピュリストといえる大統領が何人も誕生しています。たとえば、19世紀前半に大統領を務めた**アンドリュー・ジャクソン**は、民主党創設のキーマンとなった人物。彼は北部の金持ち（銀行家）と戦うと宣言し、民衆から熱狂的な支持を受けて大統領に就任しました。ですから、アメリカの民主党は「ポピュリスト集団」としてスタートしたのです。

のちの章でも説明しますが**ウィルソン大統領**以降の民主党は金融資本に乗っ取られました。その結果、民主党と共和党の立場は逆転し、共和党のほうがポピュリズム寄りの政策をとるようになっています。

ロシアの**プーチン大統領**も、ポピュリストといえるかもしれません。**「ソ連崩壊後に国を乗っ取った新興財閥や外国資本と戦う」と宣言して、ものすごい人気を保ってきた**わけですから。

このように、ポピュリズムは歴史的に見ても、決してめずらしいものではありません。ある意味、ポピュリズムは究極の民主主義です。民主主義は数が多いほうが強いのですから、金持ちでなくても、**熱狂的に支持してくれる民衆がたくさんいるポピュリストは、堂々と権力を握ることができます**。

ポピュリズムを否定することは、民主主義の否定になりえます。少数の賢いエリートが国を率いればいいという話ですから。そういう意味では、

ブレーメンでの右派ポピュリズムに対するデモ

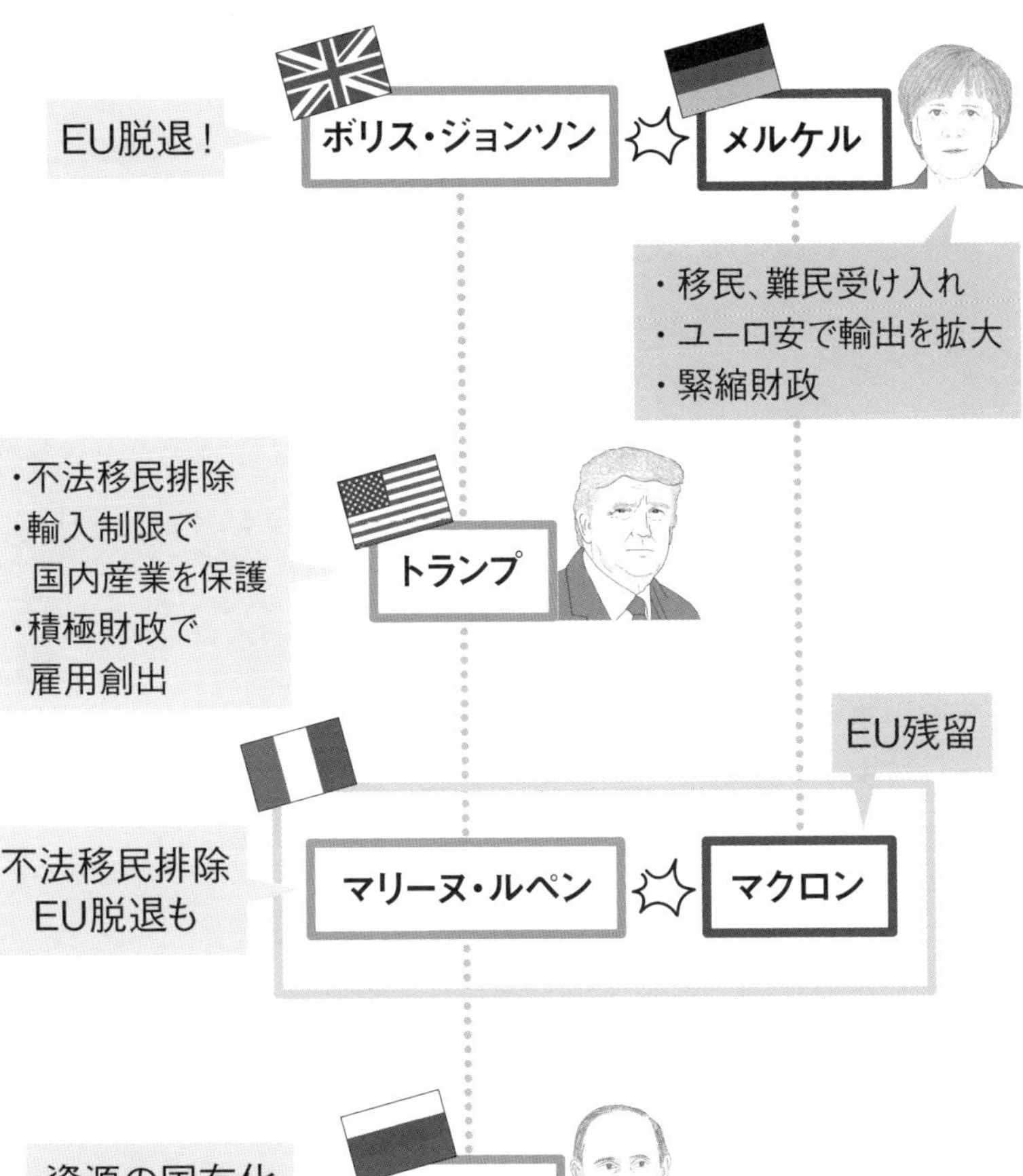

ポピュリズムを批判する人は、自分が賢いエリートだと自負、あるいは錯覚しているともいえるでしょう。

「反グローバリズム」の勢いが衰えているのはなぜ？

２０１７年６月に行われたフランスの総選挙では、ほとんどのマスメディアに支持されたマクロン大統領の新党が過半数を獲得。

一方で、マリーヌ・ルペンが率いる民族主義政党「国民戦線」は伸び悩み、1けたの議席獲得に終わりました。他国でも、「極右」とレッテル貼りされた民族主義政党は支持を伸ばせていません。

アメリカでは、トランプ大統領の側近たちがロシアの工作活動に関与したという「ロシアゲート疑惑」が大々的に報じられ、日本では安倍晋三首相夫妻が私立学校の認可に便宜を図ったのではという「森友・加計問題」が連日のように報じられた結果、いずれも支持率が30％台にまで急落し、政権運営に支障が生じるまでになりました。共通するのは、ほとんど全マスメディア、とくにテレビ局が総力を挙げてルペン叩き、トランプ叩き、安倍叩きを行い、一定の成果を挙げるということです。

マスメディアのスポンサーはグローバリズムを信奉する財界ですから、これらの国境線を守ろうとするナショナリストが邪魔なのです。

竹中平蔵氏らのグローバリストを側近として抱え、ＴＰＰ推進など財界にすり寄る姿勢をとってきた安倍首相が突然、メディアから総攻撃されるようになったのは、２０１７年５月３日の憲法記念日に、「２０２０年までに憲法９条を改正する」と明言してからです。「衣の下に鎧が見えた。やはり安倍は敵だ」となったのです。

世論は新聞がつくり、民主主義は結局、新聞などのマスメディアに動かされると喝破したのは、建国後まだ半世紀のアメリカ合衆国を調査したフランス人**トクヴィル**でした。

ネットの普及でマスメディアの力は今後、衰えていきますが、ネットで情報を得られない高齢者世代には、マスメディアの影響力はなお圧倒的なのです。その意味で今はマスメディア全盛時代の最後の10年間だと思います。

22 ヨーロッパ

ロシアと中東の関係をどう読むか？

反グローバリズムで帝政ロシアの栄光を取り戻したいプーチンを国民が支持。シリアを足がかりに旧ソ連圏だった中東各国の支配復活を狙う。

プーチンはなぜこれほど強硬的な外交ができるのか？

EUとロシアの関係に目を向けてみると、2014年に発生した**ウクライナ紛争**以来、ヨーロッパとロシアの関係は冷え切ったままです。ヨーロッパの東端に位置するウクライナ領のクリミア半島の独立問題にロシアが介入し、ロシア領として編入。それに対抗して、EUやアメリカがロシアをサミット（G8）から排除し、経済制裁を発動する事態になりました。EUとアメリカによるロシアへの経済制裁は、ロシア経済に深刻な影を落としています。

今後、EUとロシアの関係はどうなるのか。それを展望するには、まずプーチン大統領の政治的スタンスを確認する必要があります。ポイントは3つです。

ひとつめは、**プーチンは基本的に、反グローバリズムのナショナリスト（民族主義者）**であること。ロシアは資源大国です。ロシアの財産である石油や天然ガスなどの資源は「外国企業には絶対に売り渡さない」というスタンスです。このように、自国に存在する資源を自国で管理・開発しようという動きを「**資源ナショナリズム**」といいます。

2つめは、**「過去の栄光を取り戻す」ことへのこだわり**です。ここでいう「過去の栄光」とは、ソ連（ロシア）が最も強く輝いていた時代、すなわち帝政ロシアやソ連のスターリン時代のことをいいます。

スターリン時代には、西はポーランドやバルト三国、ウクライナまで支配下に置き、ジョージア（グルジア）やアルメニアなどがあるコーカサス地方、さらにはカザフスタンやウズベキスタンなど中央アジアの国々もロシアの領土でした。東は北方四島を含む千島列島まで勢力を伸ばしていました。

これらの失われた領土を取り返す、あるいは現在のロシア領は絶対に手離さないというのが、プーチンの基本的な考え方です。

3つめは、ポピュリストの一面です。**「自分は民衆の味方である。ロシア国内で暴利をむさぼる新興財閥や外資とは断固戦う」という立場**です。

愛国者であり、拡張主義者であり、ポピュリスト——。簡単にいえば、これがプーチンという人物の特徴です。

EU加盟国のポーランドとバルト三国は旧ロシア帝国領です。ソ連時代、バルト三国はソ連に再併合され、ポーランドにはソ連軍が駐留し、親ソ政権が立てられました。彼らがプーチンの拡張主義に感じている恐怖心は、本能的なものです。したがって、**EUにとって最大の仮想敵は、ロシア**なのです。

なぜロシアは積極的にシリアに関与するのか？

愛国者、拡張主義者、ポピュリスト——。こうした政治スタンスこそが、プーチンが国民に支持されている理由です。

したがって、どれかひとつでも崩れてしまうと、プーチンは政権を維持できなくなる。ということは、領土問題では絶対に譲りません。ウクライナ紛争でも、EUやアメリカを敵にまわしながらも、決して妥協することはありませんでした。

シリア問題にロシアが積極的に関わり、ISを激しく攻撃してきたのも、プーチンの「拡張主義者」としての野望にもとづいています。

先にも述べましたが、シリアのISを叩き潰し、アサド政権の基盤を固めることは、中東に対する影響力をもう一度取り戻すことにつながります。

シリアは地中海に面していますから、ロシアは悲願の不凍港を自由に使うことができます。そしてプーチンは、シリアを足がかりにアラブの国々、かつて旧ソ連圏だったイラク、エジプト、リビアなどをもう一度、支配下に置きたいという野望をもっています。

　併合など手荒なことはできませんが、現在の親米政権を親ロ政権にひっくり返して形勢を逆転したい。そうすれば、**スエズ運河**にもアクセスできますし、イラクを通れば**ペルシア湾**に出ることも可能です。これらがうまくいけば、ロシアは「過去の栄光」を取り戻し、プーチンは国民から熱狂的な支持を得られることになります。

ロシアがアプローチしている国

　ロシアにとってシリアは「過去の栄光」を取り戻すための足がかりになる。だからこそ、プーチンはシリアを脅かすISの掃討に血眼になっているのです。

トルコが欧米から離れ始めている理由とは？

　拡張主義者のプーチンが今、シリア以外に盛んにアプローチをかけている国があります。トルコです。トルコを押さえることができれば、地中海までフリーパスでアクセスできますから、不凍港を獲得する「**南下政策**」もやりやすくなります。

　EUやアメリカは対ロシアの安全保障上、トルコを味方につけようと多額の経済援助を行いNATOへの加盟も認めました。トルコはEU加盟を求め、欧米寄りのスタンスをとってきました。しかし今、風向きが変わりつつあります。

　トルコは、EUやアメリカとの関係が悪化する一方で、ロシアとの関係強化に傾いています。歴史的に、ロシアとトルコは常に「犬猿の仲」でした。ロシアは不凍港を求めて南下し、トルコと衝突していましたから。ところが、近年、急速に両国は距離を縮めているのです。

　トルコの長年の悲願はEUに加盟することでした。ヨーロッパへの仲間入りを果たせば、フリーパスでEU圏内を移動でき、自由に出稼ぎに行くことができるからです。

　しかし、シリア難民受け入れで疲弊した西欧諸国は、トルコからの移民急増も警戒し、トルコのEU加盟を認めませんでした。ずっと片思いをし、何度もアプローチしてきたのに、まったく振り向いてもらえない……。

　トルコ人もとうとうしびれをきらし、「やはり自分たちの居場所はヨーロッパではなく、イスラムだ」と考える人が増加、EUに向かう人が減少していきました。**トルコ国民の気持ちが、「イスラム化」していった**というわけです。

　トルコ国内にはもともと、大きく分けて「親欧米派」と「イスラム派」がいます。近年、「イスラム派」が勢力を拡大しています。その**イスラム派で圧倒的な支持を集めるのが、現在のエルドアン大統領**です。

　エルドアンもプーチンと同じく、「過去の栄光を取り戻す」ことをめざしています。中東世界の盟主として16世紀に全盛期を迎えた「オスマン帝国」の復活です。

　シリア内戦では対IS戦でクルド人と米国が共闘関係にあったことも、トルコ人の米国不信を強めました。クルド人はトルコ東部にも多く、分離独立を要求してきたからです。

　このように、クルド人問題とEU加盟問題によってトルコは今、ものすごい勢いでヨーロッパから離れつつあります。その間隙をついて、プーチンが「ロシアはトルコの仲間ですよ」と近寄ってきている、というのが今の状況です。

　このまま反欧米派が拡大すれば、「NATOから脱退してもいい」とトルコがいい出すのは時間の問題。最後に笑うのはプーチンです。

23

ヨーロッパ

トランプ大統領がNATOを時代遅れと叩く理由は？

冷戦時代の枠組みと秩序を維持してきたNATO。反グローバリズムのトランプがNATOを軽視する間隙をプーチンが虎視眈々と狙う。

なぜNATOの国々は危機感を感じているか？

トランプ大統領就任後、NATO加盟国でもあるEU諸国の本音は「オバマのほうがよかった」でしょう。なかでも東ヨーロッパの国々は、より深刻にとらえています。具体的には、ロシアに支配された歴史をもつポーランド、ロシアと国境を接する**バルト三国（エストニア、ラトヴィア、リトアニア）**は、相当危機感を抱いているはずです。

なぜなら、**アメリカがNATOを見捨てて軍隊を引き揚げたら、チャンスとばかりにプーチンのロシアが勢力を伸ばそうとするから**です。ロシア人の感覚では、ポーランドとバルト三国は歴史的に帝政ロシアの領土だったわけですから。

帝政ロシア時代の繁栄を取り戻したいプーチンが、アメリカのいない間に触手を伸ばしても不思議ではありません。そうなると、東ヨーロッパは一気にきな臭くなります。

実際、プーチンは、帝政ロシア領だったウクライナのクリミア半島の一部を半ば強引に一部占領し、ロシアに編入しました。それと同じようなことがバルト三国やポーランドでも起きかねません。

さすがに占領まではしないと思いますが、ウクライナのように親露政権を樹立しようという画策は十分に考えられます。**バルト三国はロシアの天然ガスに頼っているので、そこにつけ込んでくる可能性**もあります。

ロシアの脅威を恐るバルト3国

エストニア
ラトビア
リトアニア
ロシア
バルト海
17世紀ピョートル大帝時代からロシア領だったバルト3国への支配意欲が高い
NATO加盟国
ロシア

それでも現状、アメリカ一国主義のトランプはヨーロッパに干渉するつもりはないでしょう。米国の穴を埋めるため、EUは自前の軍事力を増強して、自衛するしかありません。

トルコ駐在のロシア大使殺害はなぜ起きたか？

トルコの欧米離れが進む中、トルコとロシアの関係にくさびを打ち込むような、きな臭い事件が立て続けに発生しました。

ひとつは、２０１５年11月に発生した**「ロシア軍爆撃機撃墜事件」**。トルコとシリアの国境付近で、ロシア空軍の戦闘爆撃機がトルコ軍に撃墜されました。プーチン大統領は、「ロシアとトルコの２国間関係に深刻な影響を与えるだろう」と述べ、トルコに対して農産物の輸入禁止など経済制裁を実施する事態となりました。

もうひとつは、２０１６年12月に発生した**トルコ駐在のロシア大使が殺害された事件**。ロシア大使がトルコの首都アンカラで開かれた写真展でスピーチ中に、護衛のトルコ人警察官に銃撃され、命を落としました。

テレビカメラの前で大使が撃たれるなど前代未

聞です。ロシア側が怒り心頭に発するのは当然です。トルコのエルドアンはすぐに謝罪しましたが、トルコとロシアの関係が一時的に悪化するのは避けられないことでした。

トルコがロシアに急接近する中、なぜ、こんな事件が起きたのでしょうか。これらの事件の背景を考えてみる必要があります。ロシアとトルコの関係が悪化すると、誰が得をするでしょうか。

少し考えればわかりますね。トルコをロシアの防波堤にしたい、そしてNATOに引き留めておきたい。旧体制を維持したい反トランプ勢力には十分な動機があります。まだ証拠はありませんが、アメリカの情報機関が関与した可能性があります。

NATO（北大西洋条約機構）加盟国

加盟国：29か国
設定年：1949年（原加盟国12か国）
本部：ブリュッセル（ベルギー）

ノルウェー
エストニア
ラトビア
リトアニア
イギリス
ドイツ
カナダ
フランス
スペイン
イタリア
アメリカ
トルコ

殺害されたトルコ駐在のロシア大使の写真に花を手向けるトルコ外相

なぜトランプはNATOを「時代遅れ」と罵倒するのか？

ロシアのプーチンがアラブ諸国やトルコに触手を伸ばす一方で、NATOを構成するアメリカやEU諸国は防戦一方のように見えます。

これまでロシアの拡大を食い止めてきたのは、NATOの存在だったことは間違いありませんが、今のNATOは足並みがそろわず、内輪もめをしている状態です。

NATOの軍事力の要であるアメリカのトランプ政権は、**「NATO加盟国が軍事費の負担を増やさなければ、米軍の関与を弱める」と主張し、NATOを「時代遅れ」と断じています。**

軍事費負担をめぐって、いざこざが続いているのが現状なのです。今のNATOは、有名無実化しているといっても過言ではありません。

その間隙を虎視眈々と狙っているのがプーチンです。プーチンはトルコだけでなく、「ギリシアを押さえたい」という野望を抱いています。両国は地中海の出口に位置していますから、両国を味方につければ鬼に金棒です。

プーチンは、EUの中で問題児になっているギリシアに甘い言葉で接近してくる可能性もあります。「石油や天然ガスを安く供給するから、代わりにロシア軍の基地を置かせてくれ」と。

「それでも構わない。中東と地中海地域に対して、アメリカはもう関知しない」というのがトランプの基本的な考え。同じことは、東アジアでも起こりうるのです。

NATO首脳会議に参加するジョンソン英首相とトランプ米大統領

51ページの写真（上）ⓒロイター＝共同、（下）ⓒゲッティ＝共同

24 ヨーロッパ

プーチン大統領が結局、日本に接近したい理由は？

プーチンのユーラシア同盟構想に入る国のリーダーにはナショナリズムの共通点。日本の安倍政権に秋波を送る裏には中国に対抗する思惑も。

プーチンはなぜ安倍首相に接近するのか？

プーチンと他の大国の関係はどうなっているのか。**シリア内戦**については、ロシアとトルコ、イランの3カ国が仲介する形で和平協議が続けられています。ポイントは「アメリカ抜き」という点です。**シリアについてはロシアが主導権をもつというプーチンの意思のあらわれ**です。ここでは、もうひとつ注目すべき点があります。

それは、ロシアが手を組むトルコとイランは、プーチンが構想する「**ユーラシア同盟**」のパートナーであるということです。

このユーラシア同盟のパートナーとしてプーチンが想定しているのは、**トルコ、イラン、インド、そして日本**です。ユーラシア大陸を押さえ込むイメージです。

日露首脳会談　会談前に握手するロシアのプーチン大統領と安倍首相

一方、ユーラシア同盟の構想に入っていない国は、アメリカ、ヨーロッパ、中国。わかりやすくいえば「敵」と見ている国です。

ユーラシア同盟のパートナーとして想定される国のリーダーには共通点があります。それはいずれも、**ナショナリスト政権**だということです。トルコのエルドアンは先に述べた通りですし、イランはイスラム回帰を目指したイラン革命以来、イスラム少数派のシーア派政権です。インドのモディ首相も、ヒンドゥー至上主義の言動で知られるナショナリストです。

そして、日本の安倍晋三首相は生粋の保守政治家です。エルドアンやモディともウマが合うようで、何度も会談を重ねています。プーチンとは、故郷の山口県に招くほどの仲で、北方領土問題でも辛抱強く交渉を重ねています。

本来、領土問題で1ミリも妥協したくない拡張主義のプーチンが、あえて北方領土問題で日本との交渉の席についた事実からは、**ユーラシア同盟のパートナーに組み込んで、経済的メリットを得たいという思惑**が透けて見えます。今のところ、安倍首相はプーチンの思惑通りに動いているというわけです。

ロシアが抱える中国からの「移民問題」とは？

ロシアは米国に次ぐ経済大国となった中国とも国境を接しています。中国との関係は、どうなっているのでしょうか。

ロシアと中国は、仲がよいふりをしていますが、プーチンが一番警戒しているのが実は中国。**ニコニコと握手しているように見えるけれど、机の下で足を蹴り合っている**。そんな関係です。

実は、ロシアも移民問題で苦しんでいます。ひとつは、旧ソ連圏の中央アジアからやって来る移民（出稼ぎ労働者）。もうひとつは、中国からの不法移民です。より深刻なのは後者です。

人件費の高騰と不動産バブルの崩壊により、中国経済は急速に減速していて、今後は低成長時代に入ると見られています。そこで、困窮した中国人が仕事を求めてロシア東部、いわゆる「**極東**（きょくとう）**ロシア**」に大量に流れ込んできています。

極東ロシアとは、バイカル湖より東側の地域のことを指します。面積ではロシアの約3分の1を占める広大な土地ですが、人口は600万人ほど。千葉県の人口と同じくらいなので、スカスカ

極東への中国移民を警戒するロシア

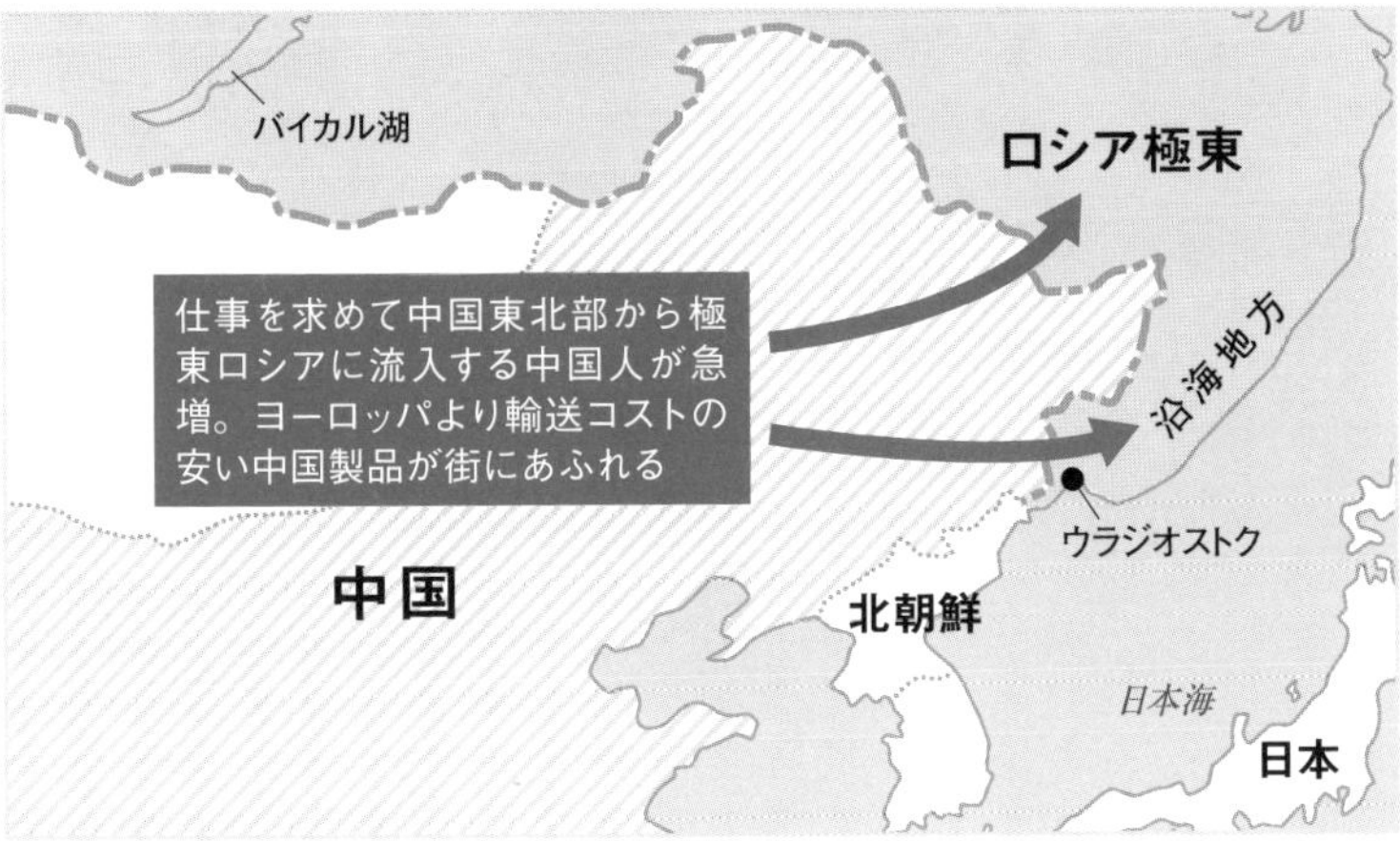

バイカル湖
ロシア極東
仕事を求めて中国東北部から極東ロシアに流入する中国人が急増。ヨーロッパより輸送コストの安い中国製品が街にあふれる
沿海地方
ウラジオストク
中国
北朝鮮
日本海
日本

なのです。極東ロシアは、世界でも有数の人口密度の低い地域といえます。

この地域は、基本的に常に人手が足りていない状態です。というのも、極東ロシアの人口は減る一方だからです。ロシアも少子化社会ですし、寒さのせいで国民の平均寿命が短いため、ロシア人が増える可能性はありません。

一方、地続きの国境線の南側には、約14億人の人口を抱える中国があります。

中国東北部、旧満州だけでも約1億人が住んでいます。しかも、国境線は手つかずの川と山。実質フリーパスで国境を越えることができるので、ロシア側が規制してもどんどん入ってきます。規模でいえば、アメリカとメキシコの国境の比ではありません。**大量の移民を送り込んで実効支配を強めるのは中国の得意技で、チベットやウイグル、内モンゴルは、こうして中国化された**のです。

今、「極東ロシア」では、中国化が進んでいます。ふつうに人民元が使えますし、スーパーで売られている商品は、すべてメイド・イン・チャイナ。ヨーロッパ・ロシアからはるばる輸送するよりも、近くの中国から送ったほうが、輸送コストが安くなるからです。しかも移民が多くなるにつれて、中国人と結婚するロシア人も増え、どんどん混血が進んでいます。もはや、中国人がいないと経済がまわらない状態なので、むやみに追い返すわけにもいかない。

そのため、**「そのうち極東ロシアは中国に乗っ取られるのではないか」とプーチンは本気で心配**しています。だから、中国はプーチンにとって「敵」なのです。

プーチンが日本と手を組む、意外な理由とは？

極東ロシアの「移民問題」は、日本にとって対岸の火事ではありません。日本が北方領土問題でもたもたしているうちに、中国人が北方領土まで進出してくる可能性があります。

中国の立場から見れば、日本海沿岸には極東ロシア・沿海地方の広大な土地が広がっているので、直接海に出ることはできません。日本海に出るには、北朝鮮に港を確保して日本海からオホーツク海に抜けるか、極東ロシアの港を使うしかありません。

極東ロシアを中国の領土にすることは現実的ではありませんが、**徐々に「中国化」することは不可能ではない**。大量の中国人移民が極東ロシアに流れ込んでいるからです。経済的に中国人が支配できれば、オホーツク海へ直接出るルートを確保することができます。しかも最近、温暖化の影響で北極の氷が解け始めていて、夏場は「**北極海行路**」から直接ヨーロッパへ行くことができます。北極海航路を使えば、マラッカ海峡や中東を通ることなく、ヨーロッパに行けるわけですから、その経済的効果は計り知れません。

日本の北方領土近海では、中国の漁船が違法操業しています。このあたりの海域は、北極海航路の通り道になりますから、近い将来、尖閣諸島近海に中国漁船がやってきているように、北方領土近海にも顔を出すようになるでしょう。そうした危険性を察知し、プーチンはすでに、北方領土近海の軍備を増強しています。**ロシア軍が想定している敵は日本ではなく、中国**なのです。

プーチンとしては、中国に対抗するには、日本と手を結ぶしか方法がない。プーチン大統領と安倍首相の蜜月の背景には、このような事情もあるのです。

アメリカ

31 米中関税合戦はどちらも勝てない?

32 トランプを支持した人たちは結局だれ?

33 フェイクニュースの2つの発信元

34 民主党とウォール街の強い関係

35 世界の警察をやめても軍事費が増える理由

36 メキシコ国境の壁に賛成する移民がいる理由

く
紀の超大国

第3章

揺れ動く20世紀

世界の覇権を握ってきたアメリカ。世界の警察をやめアメリカ・ファーストの保護主義に戻ろうとしつつも世界への睨みを利かせ続けるのはなぜか。

25 アメリカ

アメリカ・ファーストを生む移民の歴史とは？

西部開拓時代からの自主独立に富む「草の根保守」の共和党政権は歴史的にも、自分の身は自分で守り他から口出しさせないことを是とする。

なぜ共和党は「小さな政府」を選ぶのか？

アメリカは、人、モノ、資本の移動の自由を求めるグローバリズムの旗振り役。そんなイメージをもっている人は少なくありません。しかし、トランプ政権の誕生によって、まったく逆の方向に舵を切り始めました。**「アメリカ・ファースト」、つまり、グローバリズムを捨てて、「保護主義」に走りはじめた**のです。このようなアメリカを見て、違和感を覚える人もいるかもしれません。しかし歴史的に見れば、この現象は決してめずらしいことではないのです。

トランプがどうして大統領になれたのか、誰がトランプを支持したのか。その理由を知るには、アメリカの「移民」の歴史をひもとく必要があります。

アメリカ人は、大きく2種類に分けられます。新大陸の大地を切り拓き、アメリカ合衆国という国をつくってきた本来のアメリカ人と、19世紀以降に大陸に入ってきたアメリカ人です。後者は、いわゆる「移民」です。このようにいうと、「アメリカを建国した人たちも含めて、みんな移民だろう」という声が聞こえてきそうですが、ここでは便宜上、アメリカ合衆国の建国前後にアメリカ大陸にやってきた人たちと、19世紀以降にアメリカに移住してきた人たちを分けて考えてみます。

そもそも1776年にアメリカ合衆国を建国したアメリカ人は、どこの国から来たのでしょうか。そう、イギリスですね。**イギリス系の白人が最初のアメリカ人**ということになります。彼らの言語は、もちろん英語で、宗教はキリスト教のプロテスタント。民族的にはアングロサクソンです。そんなアメリカを建国したイギリス系白人を「**WASP**」といいます。**「W」がホワイト（白人）、「AS」がアングロサクソン（イギリス系）、「P」がプロテスタントを意味**します。

アメリカ大陸の東海岸にやってきたイギリス人は、新しい土地を求めて西へと向かいます。いわゆる「**西部開拓**」です。「インディアン」と呼ばれた先住民から土地を奪い、その勢力を拡大していきます。

一方で、本国のイギリスは、そんな移民たちにどう対応したのでしょうか。あまりにも遠いものだから放っておいたのです。西部開拓を進めていった移民たちは、過酷な自然や先住民との戦いを通じて「自分の身は自分で守る」という自主独立の精神を育んでいきました。これを「**フロンティア・スピリット**」といいます。

そうした自主独立の精神がベースにあるイギリスの開拓者たちは、その後、イギリスからの独立戦争を経て、アメリカ合衆国を建てました。

しかし開拓民たちは、アメリカ政府にも従いませんでした。「自分の身は自分で守る。だから、余計なことをするな」と。国防や安全保障は政府に任せるけれど、それ以外のことは勝手にやらせてほしい、というわけです。彼らは**「福祉などはいらない。その代わり税金をまけろ。自分の身は自分で守るから武器をもたせろ」**と主張しました。アメリカが銃社会になったのは、こうした歴史的背景が関係しているのです。

このように「自分の身は自分で守る」という自主独立に富んだアメリカ人を、アメリカの大地に根をおろしているという意味で「**グラスルーツ（草の根）保守**」ともいいます。

アメリカの政治は共和党と民主党の二大政党制ですが、そのうち**共和党の支持母体となっているのが、「草の根保守」（WASP）**なのです。こうしてアメリカ合衆国を建国し、西部開拓に励んだ人たちは、新天地で成功を遂げます。たまたまやってきた新大陸は、あれだけ土地が広大で、しかも資源が豊富だった。一文無しでイギリスからアメリカにやってきても、西部開拓で成功すれば自分が地主になることができた。まさに「**アメリカンドリーム**」をつかんだのです。

海を渡ってアメリカをつくってきた移民

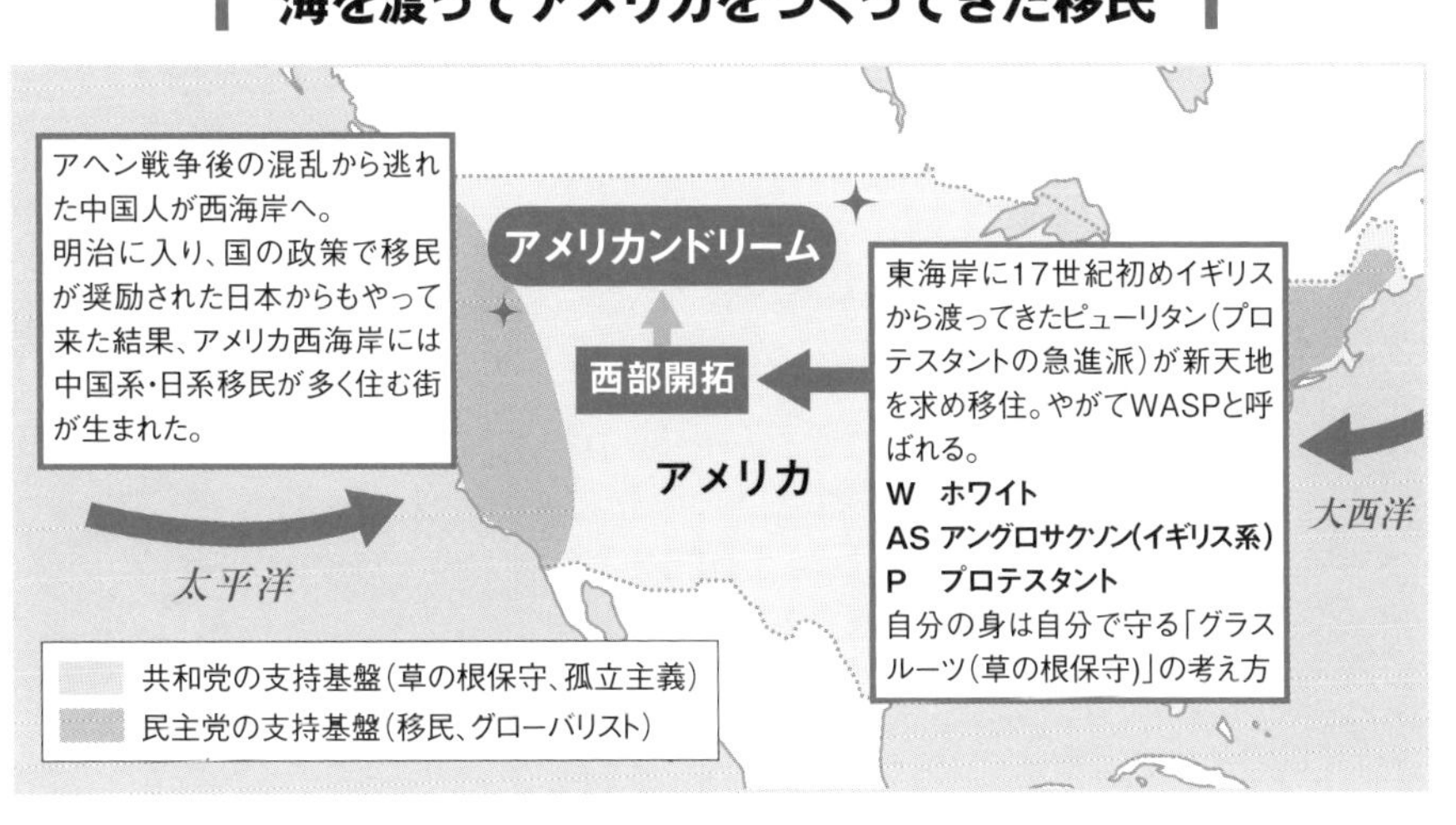

なぜ東海岸にはユダヤ系移民が多いのか？

アメリカ開拓民の成功を聞きつけたヨーロッパの貧困層は、「それなら、俺たちも！」と、**アメリカンドリームを求めて、続々とアメリカ大陸にやってきました。最初は同じイギリス人の貧困層がアメリカに渡り、ドイツ人や北欧の人たちが続きました。**ドイツ人や北欧の人は、見た目がイギリス人に似ています。背が高くて金髪で、イギリス人と同じ、いわゆるゲルマン系の民族です。話している言葉もあまり違いはありません。**オランダ語やドイツ語、デンマーク語などは英語の方言のようなもので、すぐに英語をマスターできます。**だから、ドイツや北欧からやってきた人たちは、違和感なく、アメリカに溶け込んでいきます。

19世紀の後半にアメリカに渡ってきたのはイタリア人。イタリアという国は明治維新の頃に統一されたのですが、北と南で大きな経済格差があって、北が豊かで南が貧しい。南の貧しい農民たちが「アメリカに行けば金持ちになれる！」とばかりに大挙して押し寄せたのです。

ところが、イタリア人は英語ができません。イタリア語はもともとラテン語で、発音も英語と異なります。「R」を強く発音したり、「th」の発音が「チ」になるので、「thing（スィング）」が「ティング」になってしまうのです。イギリス人との違いは言語だけではありません。見た目に関しても、イタリア人は小柄で髪が黒い。しかも、宗教はプロテスタントと敵対するカトリックです。

イタリア人の次にやってきたのが、迫害を逃れてきたユダヤ人です。イタリア人にしても、ユダヤ人にしても、ヨーロッパからアメリカ大陸に来るには、**大西洋を船で渡ってくるので、アメリカの東海岸に多くの「移民」が住むように**なります。

なぜ西海岸にはアジア系の移民が多いのか？

アメリカンドリームを夢見てやってきたのは、ヨーロッパ人だけではありません。アジア人も次々とやって来ました。最初に太平洋を渡ってきたのは、中国人です。1840年に勃発したアヘン戦争で、清朝はイギリスに負けて経済が混乱、大量の**経済難民**が生まれました。その難民が太平洋を渡って、アメリカにやってきたのです。

次にアメリカにやってきたアジア人が、日本人です。19世紀、明治時代の日本は開国したばかりで、まだ国が貧しく、地方の農民は困窮していました。そんな中、とくに東北地方、長野、沖縄の人たちが土地を求めて、ハワイやカリフォルニアに渡っていきました。

この結果、**アメリカ西海岸のカリフォルニアには、中国系と日系が多く住む結果**となりました。

東アジア人は総じてよくはたらきます。「俺たちの仕事を奪うとはけしからん！」――とりわけ労働者層のアメリカ人の反発を買う結果となり、アジア系移民の排斥運動が起こることになったのです。

26 アメリカ

大国アメリカは誰が動かしているのか？

アメリカを支配してきた軍需産業や金融資本、草の根保守やリベラル層などのパワーバランスが揺らされている。

アメリカは、なぜ戦争を繰り返すのか？

中国の軍事的、経済的な台頭とは対照的に、国際的な存在感が薄れつつあるアメリカ。今、アメリカに何が起きているのでしょうか。

アメリカは一枚岩ではありません。アメリカの行動原理を理解するには、大きく分けて5つの担い手を知る必要があります。

- **軍需産業**
- **金融資本**
- **草の根保守**
- **福音派**
- **移民労働者（労働組合）**

今のアメリカを支配している最大の利益集団のひとつは、「軍需産業」です。

アメリカの軍需産業は、第二次大戦のときに急成長しました。たとえば、ボーイングやロッキード、ダグラスといった飛行機メーカーは、当時、戦闘機や爆撃機をつくって大企業へと成長していきました。日本本土空襲を行ったB29という爆撃機をご存じでしょうか。「B」とは爆撃機（ボンバー）ですが、製造メーカーはボーイング社です。

第二次大戦が終わって冷戦が始まると、**軍需産業は、ソ連がいつ攻めてくるかわからないと喧伝し、核ミサイルをどんどんつくって莫大な軍事費を政府（国防総省）から引っ張り出した**わけです。冷戦の初期に大統領を務めたアイゼンハワーは、第二次大戦を指揮した軍人出身で、軍需産業と太いパイプをもっていました。

「今、アメリカでは軍部と軍需産業が一体化していて、とてつもないパワーをもってしまっている。アメリカ国民は、その事実を知っておくべきだ」アイゼンハワー大統領が指摘したようなシステムを「**軍産複合体**」といいます。**軍産複合体のもとでは、軍部からの受注で軍需産業がうるおう一方、軍需産業に退役軍人が顧問などの肩書で天下りするといった、癒着が頻繁に行われます。**

アメリカの軍人たちは軍需産業の意向を無視することはできません。さらに軍需産業の下には、下請けの中小企業がいっぱいあるので、何百万人もの雇用が生まれます。こういう構造が冷戦期に生まれ、今も変わらずに存在するのがアメリカなのです。

軍需産業と政治がつながっているのがアメリカ。だから、ほぼ10年ごとに戦争をやって、軍需産業に儲けさせるのです。冷戦末期に大軍拡をやったのは共和党のレーガン政権でしたし、湾岸戦争もイラク戦争も、共和党のブッシュ親子が戦争へとかじをとりました。冷戦終結で閑古鳥が鳴いていた軍需産業は、イラク戦争によって息を吹き返すことができたのです。

息子のブッシュ政権がイラク戦争を長期化させ、アメリカ国民の厭戦気分が広まったときに登場したのが民主党のオバマ大統領です。彼はイラク戦争から手を引くことを公約にして選挙に勝ちました。現地の戦場で死ぬのはアメリカ人の兵士ですから、**「なぜ、うちの息子や夫が、中東で死ななければならないのか」というのが、イラク戦争後のアメリカの世論です。**

しかし、軍需産業から見れば、イラク戦争が終わってからずいぶん経って、ミサイルの在庫もたまっているはずです。「在庫一掃したい」というのが彼らの本音でしょう。

ＩＳ（イスラム国）やイランの台頭による中東の不安定化や中国の海洋進出は、彼ら軍需産業が望むところなのです。

アメリカ政府と巨大銀行はどんな関係か?

アメリカには、軍需産業に匹敵するもうひとつの巨大勢力があります。ニューヨークを中心とする巨大銀行、すなわち**金融資本**です。アメリカ人から集めた資金を海外へ投資することで儲けています。戦争で壊れた海外の道路や橋をつくったり、あるいは外国の企業を買収して利益を得ているのです。

ニューヨークの金融資本が勢力を伸ばしたのは、19世紀末のこと。19世紀、アメリカ政府と金融資本とは敵対関係にありました。アメリカは「草の根の民主主義」の国なので、政府としては銀行家のような一部の特権階級に国を支配されたくないという意識が強くありました。しかし、**結果的にお金をもっているほうが勝つのが世の常です。**

ウィルソン（第一次大戦時の大統領）のとき、ニューヨークの金融資本が共同出資する形で、アメリカの中央銀行をつくりました。これが、**FRB（連邦準備制度理事会）**です。日本でいえば、日本銀行に該当するような中央銀行です。でも、何か違和感がありませんか?

中央銀行というと、国営というイメージがあると思います。日銀も半官半民ですが、FRBはアメリカの国営ではありません。**ニューヨークの金融資本（JPモルガンやロックフェラー）が共同出資した、純然たる民間銀行**です。民間銀行が中央銀行の仕事をしているのです。アメリカ政府は財政難になると国債を発行して、FRBに引き受けてもらいます。当然、政府は金融資本の言いなりになってしまいます。

FRBの出資者である金融資本＝民間銀行がアメリカ政府の「お財布」を握っている状態なので、政府は銀行の意向を無視できないのです。

アメリカを動かしている力

アメリカの軍需産業と金融資本の関係は?

では軍需産業と金融資本の関係性は「対立しているのか」と問われると、必ずしもそうとはいえません。利害が一致したケースとしては、イラク戦争が挙げられます。

共和党のブッシュ政権は、イラク戦争を仕掛けて、イラク国内をミサイル攻撃で徹底的に破壊しました。戦争が終わったら、今度は再建しなければなりませんから、アメリカの金融資本がイラクの戦災復興に当たる企業に融資をします。イラク復興を請け負って莫大な利益を上げたベクテル社はアメリカ最大の建設会社（ゼネコン）。同社の幹部は、アメリカ政府の国務長官や国防長官として抜擢されています。戦争によって軍需産業が儲けたあと、戦争後に復興と称して金融資本が投資で儲ける。**マッチポンプ**です。**壊しては儲け、再建してはまた儲ける。**軍需産業にとっても、金融資本にとっても、イラク戦争は「おいしい話」だったのです。イラクとは逆のケースが中国です。中国とアメリカの緊張が高まれば、アメリカの軍需産業は儲かるはずです。

しかし、中国の場合、中国共産党政権が非常に賢くて、東シナ海や南シナ海で軍事的な挑発はしても、アメリカを決定的に怒らせるところまでは踏み込まない。その一方で、「中国に投資しませんか」とアメリカの金融資本を誘い込んでいます。ニューヨークの金融資本は、すでに莫大な投資を中国にしているので、米中関係が悪化して戦争になれば、大損害を被ることになります。

だから金融資本は米中友好を唱え、顧客には対中投資を呼びかけるのです。結果的に中国の脅威を煽って稼ごうとしている軍需産業とは利害が一致せず、対立関係にあるように見えるのです。

27 アメリカ

振り子のように揺れ動くアメリカとは？

間違った信仰を正したい福音派を土台とする「アメリカの正義」と草の根保守の「孤立主義」が揺れ動くアメリカ外交の歴史。

アメリカの中間層「草の根保守」って何？

アメリカを動かしている重要な集団のひとつが「草の根保守」です。英語でもグラス・ルーツといって、草の根っこのようにアメリカの大地に根をおろしている保守層（経済的には中間層）のことです。彼らはおもにアメリカ南部や中西部の農村地帯に多く住んでいます。**草の根保守は、歴史的には19世紀の「西部開拓農民」にまでさかのぼります。**開拓農民は、政府からまったく支援を得ることなく、自分の努力と才覚だけで先住民（インディアン）と戦って、荒野を切り開いてきた人たちです。正当防衛のために個人が銃をもつのは当然の権利と考え、銃規制に反対するのもこの人たちです。基本的に国家を信用しない。**自分の身は自分で守るので福祉もいらない。税金も払いたくないという極端な個人主義、自由主義の思想**をもっています。彼らのような立場を**リバタニアン**といって、**リベラル**と区別します（リベラルも「自由主義」ですが、弱者救済のため福祉の充実を求めます。こちらは民主党の考えです）。

そもそも国家というものを信用しない草の根保守の立場からすれば、国のために外国で戦って死ぬのは、ナンセンスです。敵がアメリカへ攻めてくるなら戦うが、なぜ海の向こうまで行って戦わなければならないのか……と。

こうした草の根保守の気持ちを反映したのが、**「孤立主義」（モンロー主義）**という政策であり、実は彼らこそ、共和党の最大の支持基盤なのです。

振り子のように揺れ動くアメリカ

福音派的「介入主義」
- 相手の間違いを正す
- アメリカの価値観を世界に広めねば
- 独裁政権には武力で

草の根保守「孤立主義」
- 自主独立
- 自分の身は自分が守る
- 他国から介入させない 他国にも介入しない

アメリカで力をもつ「福音派」って何？

アメリカ合衆国は基本的に移民によってつくられた国なので、アメリカ大陸に渡ってきた順番によって階級があります。

最初にアメリカに渡ってきた人たちが最も威張っていて、権力を握りました。それが、イギリス系移民の「**WASP**」と呼ばれる人たちです。

「W」がホワイト（白人）
「AS」がアングロ・サクソン（イギリス系）
「P」がプロテスタント
を意味します。

もともとは、**イギリスのピューリタンといわれる新教徒がイギリス本国で迫害されて大陸にたどり着いたのが、アメリカの始まり**です。**メイフラワー号**で渡った102人を「ピルグリム・ファーザーズ」（巡礼の父祖）といいますが、**彼らはアメリカに自分たちの信仰（プロテスタント）を実現する理想国家（＝神の国）をつくりたかった**のです。

「欲望を避けて質素に暮らし、一生懸命働くことが、神のご意思である」という信仰に従ってアメリカ大陸を清めるため、先住民を「一生懸命に」追放したのです。

　このピューリタンがさらにいろんな宗派に分かれていくのですが、それらに共通するのは**『聖書（福音書）』の教えを絶対と考え、これに反するものを排斥しようとするメンタリティ**です。彼らは妊娠中絶を罪と考え、同性愛を罪悪視します。このような人たちを**「福音派」**や、**「宗教右派」**と呼びますが、彼らも共和党の強固な支持基盤です。ビリー・グラハムというカリスマ的なテレビ伝道師は、歴代アメリカ大統領の就任式で祈りを捧げるほどの影響力を持っています。

メキシコから領土を奪って拡大

メキシコから割譲
メキシコから独立後合併

アメリカはなぜ「世界の警察」をやりたがるのか？

　アメリカが外国に出て戦争をするのは、実は、福音派の思想が大きく影響しています。**今のアメリカ人にも、アメリカ型の価値観、つまり自由、人権、民主主義を世界中に「布教」すべきだという考え方があります。**もし相手の国がアメリカ型の価値観を認めない独裁政権である場合には、武力を使ってもかまわないと考えるのです。実は、アメリカが行ってきた戦争は、みなこうした考え方によって正当化されてきたのです。**最初にアメリカが侵略した国は、メキシコ。**メキシコはカトリック教徒のスペイン人が、先住民と混血してつくった国です。今のアメリカの西側3分の1、つまり、ロッキー山脈より西側はメキシコ領でした。だから、今のカリフォルニアやテキサスも、もともとメキシコのものだったのです。

　最初は、メキシコ領テキサスにアメリカ人が移民として移住します。もともとテキサスは荒れ地が多い土地だったので、メキシコ人（カトリック）の人口は多くありませんでした。そこに、大量のアメリカ系のプロテスタントの移民が入ってきたのです。その結果、メキシコ政府と対立することになり、アメリカの移民たちは、「テキサスはメキシコから独立する」と一方的に宣言したのです。この**「テキサス共和国」が、アメリカ合衆国に編入を申請すると、アメリカ政府は、テキサスをアメリカの州にしてしまった**のです。これは、どこかで聞いた話ですね。住民投票の結果、独立宣言をして別の国に合併申請し、編入される——。

　クリミアと同じです。アメリカは、ロシアによるクリミア編入はけしからんと非難しますが、メキシコ人から見れば、「アメリカこそ、テキサスを返せ」と反論したくなるでしょう。テキサスを奪われたメキシコは怒ります。**テキサスの帰属をめぐってメキシコとアメリカの間で戦争が起こりますが、アメリカが圧勝しました。**そして、テキサスだけでなく、西海岸のカリフォルニアまでをメキシコから奪い、現在のアメリカ合衆国の形ができあがったのです。

　スペイン植民地だったキューバを侵略したときも、「スペインの暴政に苦しむキューバを救え。自由と民主主義の旗のもとにキューバ人民を解放すべきだ」という建前で戦争を始めました。「解放」の名目で国を奪ってしまうのです。

　冷戦が終わったあとは「イラクの独裁政権」あるいは「テロリスト」から「自由と民主主義を守る」と言って戦争を続けてきました。イラク戦争に勝利した後もテロが止まらず、ついにはIS（イスラム国）が出現しました。アメリカ人は、疲れ果てました。平和主義のオバマもコワモテのトランプも、「脱中東」では一致しています。米国内でシェールガス開発が進んだことが、これを可能にしました。

　草の根保守の「孤立主義」と、福音派的「介入主義」。アメリカ外交はこの間を振り子のように揺れ動いてきたのです。

28 アメリカ

移民の国アメリカのユダヤ人はどこから来たのか？

かつてロシアを逃れてアメリカに移り住んだユダヤ人。彼らがニューヨークの金融資本をつくり、お金の力でアメリカの影響力を高めていった。

ユダヤ人がアメリカに渡った理由は？

アメリカで大きな影響力をもっている集団の5つのひとつが、**移民労働者（労働組合）**です。

ＷＡＳＰが移住したあとも、アメリカには、次々と移住者がやってきます。ドイツ人やアイルランド人、イタリア人も多かったのですが、アメリカ外交にいちばん影響を与えたのは、ユダヤ人です。ユダヤ人については、アメリカを理解するために必要不可欠な知識ですから、ここでくわしく説明しておきましょう。

ユダヤ人がアメリカに渡る以前、彼らの多くが住んでいたのはロシア帝国でした。

中世以来、ユダヤ人の多くは差別が少ないポーランドに住んでいました。ポーランドは、ユダヤ人の避難所だったのです。ところが、そのポーランドをロシア帝国が併合したのが18世紀の「**ポーランド分割**」でした。

ロシア帝国は、１８５３年に**クリミア戦争**でイギリスに完敗します。ちょうど日本の江戸幕府が、ペリーの黒船を見てびっくりしたのと同じ年です。日本人がペリーの黒船を見てショックを受けたように、クリミア半島に攻め込んだイギリス軍の蒸気船を見て、ロシア人も仰天しました。それをきっかけにロシア帝国は、近代化に力を入れ始めるのです。

ところが、鉄道を敷いて蒸気船を所有したくても、肝心の資金や技術がない。国内になければ、国外から調達するしかありません。外資導入ですね。

そこでロシアは、当時ヨーロッパでいちばんお金をもっていた**ユダヤ系財閥・ロスチャイルド**から投資をしてもらったのです。今でいう「経済自由化」が起きたロシアには、急速に外資が入り、発展していきました。

一方で、問題も起きます。ロスチャイルドの資本と結びついたロシアの皇族や貴族は私腹を肥やし、豊かになりましたが、その富が一般民衆に行き渡らなかったのです。ロシアは憲法も議会もない独裁国家だったので、貧富の差がますます広がり、民衆の不満がたまっていく結果となりました。そこで、**民衆の不満が政府に向くことを恐れたロシア政府は、情報操作をします。「富の不均衡の原因は、ユダヤ人にある」と喧伝したの**です。

ユダヤ人の長老たちがひそかに秘密会合を開き、カネの力で世界征服の陰謀を企てている、というわけです。この陰謀計画を「**シオンの議定書**」といいます。シオンとは、ユダヤの都エルサレムのことです。

「秘密権力の世界征服計画書」という触れ込みでロシアからヨーロッパ各国へ広がっていった「シオンの議定書」ですが、実は反ユダヤ運動を煽るためにロシアの秘密警察がでっちあげた偽書でした。**日本でも「ユダヤの陰謀」本はたくさん出ていますが、元ネタは「シオンの議定書」**です。

ユダヤ人への風当たりが強まる中、１８８１年に時の皇帝が暗殺される事件が起きます。犯行グループの中にユダヤ人がいたことから、ロシア全土で民衆がユダヤ人を襲撃する事件が起こり、多くの犠牲者を出しました。これを「**ポグロム**」といいます。このとき、ユダヤ人が命からがら逃げ延びた先が、ヨーロッパとアメリカ。今アメリカに住んでいるユダヤ人のほとんどは、ロシアからやってきた人たちなのです。

ちなみに、**パレスチナ**（現在のイスラエル）へユダヤ人が移住するようになるのは、第一次世界大戦でオスマン・トルコ帝国が崩壊したあとのことです。

日本はなぜユダヤ人を助けたのか？

日本人とユダヤ人との間にも、実は「接点」があります。日露戦争のとき、当時の日本はロシアと戦争する軍事費を捻出できないほどの弱小国家でした。国民が飢えで苦しんでいるくらいですから、本来なら戦争どころではありません。

そこで、日本政府は戦時国債を発行します。国民は困窮していますので、国債を買う余裕はない。海外市場で買ってもらうことになります。そのとき、ロンドンとニューヨークに派遣されたのが、のちの大蔵大臣である**高橋是清**（たかはしこれきよ）です。

当初、ヨーロッパの国々は、日本の国債にまったく見向きもしませんでした。**「日本がロシアに勝つわけがない。日本に金を出すのはドブに捨てるようなものだ」**というわけです。当然の反応ですよね。

ところが、高橋是清がニューヨークに行くと、**ニューヨークのユダヤ系金融資本のボスであるジェイコブ・シフという銀行家**がこう言います。

「ミスター高橋、日本国債を買いましょう。私たちの仲間をたくさん殺したロシアと戦う日本を応援したい」

こうして国債を大量に売却できた日本は、武器を調達することができます。日露戦争の勝利へとつながりました。

このことから日本はユダヤ人に恩義をもっているのです。だから、第二次大戦のとき、日本人はユダヤ人を保護しました。

陰謀に追われたユダヤ人

杉原千畝

ユダヤ人の組織的な迫害と殺戮（ホロコースト）を進めていたナチス・ドイツは、同盟関係にあった日本に対しても、協力を要請してきます。日本が占領していた上海には、ユダヤ人がたくさんいたからです。ところが、日本政府は断りました。

ナチスによるユダヤ人迫害が本格化した1938年、日本政府は五相会議（首相、外相、蔵相、陸相、海相）の決定として、ユダヤ人を排斥せず、ユダヤ資本を歓迎すると決定しました。シベリア鉄道でユダヤ難民が満州国に流れてくると、満州に駐屯する日本軍はこれを助けたのです。

ナチスがポーランドを占領すると、ユダヤ人たちが大量にリトアニアに流れてきて、「リトアニアからソ連（ロシア）経由で満州国へ、さらに日本経由でアメリカに逃げたい」と懇願しました。リトアニアの日本領事館に赴任していた日本の外交官・**杉原千畝**（すぎはらちうね）は、日本通過のビザを発行して、多くのユダヤ人を助けました。

これらのエピソードの背景には「日露戦争のとき、ユダヤ人にお世話になった」という事実があるのです。

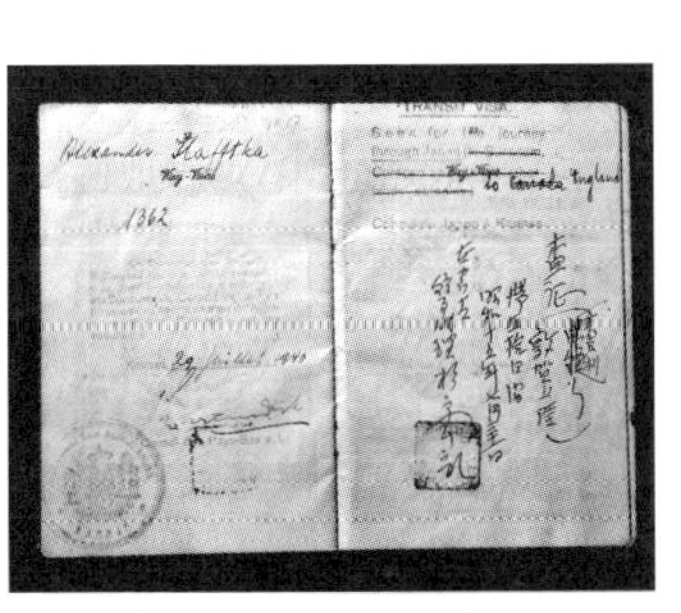

杉原千畝が書いたビザの原本

29 アメリカ

世界を動かすユダヤ・マネーとは?

日露戦争で日本を助けロシア革命にも資金援助。ソ連崩壊後はロシア新興財閥をつくったがプーチンに敵視され解体される。

ユダヤ票を無視できないのはなぜか?

移民労働者の中でも、**政治的に大きな影響力をもっているのがユダヤ人**です。

ユダヤ人は、アメリカの人口の割合で3%にも達しません。ヒスパニック（20%弱）、中国系、韓国系、黒人（10%ちょっと）などに比べたら圧倒的に少ない。しかし、その3%が、非常に政治意識が高いのです。必ず投票に行くのはもちろんのこと、政治献金をはじめとして、さまざまな政治運動を積極的に行います。**イスラエルに好意的な候補を徹底的に応援する**のです。

逆に反イスラエル、反ユダヤの立場をとる候補に対しては、容赦ないバッシングをあびせます。電話やファクス、メール、インターネットなどあらゆる手段を尽くして落選運動をします。だから、**本来ユダヤ票とは関係のないはずの共和党議員も「ユダヤ人は敵に回したくない」というのが本音**です。イスラエルのネタニヤフ首相が訪米し、アメリカの議会で演説をすると、全議員が総立ちで拍手（スタンディング・オベーション）をする光景も、アメリカの選挙に与えるユダヤ人の影響力を物語っています。

なお、ユダヤ人は基本的に民主党寄りですが、共和党を支持する人もいます。民主党は共和党と比べて外交に消極的で、国内の福祉などに力を入れる傾向があるので、「民主党の中東政策は、なまぬるい」と反発するグループがあるのです。このグループのことを**ネオコン（新保守主義）**といいます。

冷戦期にソ連に対して弱腰だった民主党政権から、共和党のレーガン政権に乗り換えて、ソ連を叩きつぶすことを支持したのもネオコンです。冷戦終結後、彼らはブッシュJr.政権の閣僚としてイラク戦争を強力に支持しました。ウォルフォヴィッツ国防副長官がその代表です。イラク戦争が泥沼化すると、本来の共和党支持者である「草の根保守」の反発を受けて、ネオコンの勢いは急速にしぼみました。

「東西冷戦」を起こしたユダヤ・マネーとは?

日露戦争で日本を助けたユダヤ系金融資本は、ロシア革命に対しても資金援助を行っています。第一次世界大戦でロシア軍が敗退を続けるなか、**レーニン**率いる**ボリシェヴィキ（共産党）**が**帝政ロシアを倒すために立ち上がったのがロシア革命**です。レーニンは母方がユダヤ人でしたし、赤軍司令官トロツキーもユダヤ人でした。

ユダヤ人にとってロシア帝国は、ユダヤ人を迫害してきた憎い相手です。ボリシェヴィキのメンバーの中には、多くのユダヤ人が参加していましたが、彼らに革命資金を提供したのが、国外のユダヤ資本だったことは間違いありません。

こうしてロシア革命は成功しますが、ユダヤ人はまたもや苦難に見舞われます。共産党内部でユダヤ人がのさばりすぎているという反発が起きるのです。そんな中、レーニンが死去すると、**スターリン**と**トロツキー**の権力闘争が起きます。

共産党内部でスターリンが権力を握っていく過程で、反対派は秘密警察に逮捕され、ことごとく殺されました。いわゆる「**大粛清**（だいしゅくせい）」です。

トロツキーとつながっているユダヤ勢力は共産党から一掃され、多くのユダヤ人が殺されます。スターリンはまた、ユダヤ資本で開発した鉄道や油田を次々に接収し、国有化していきました。

それを国外から見ていたユダヤ系の金融資本は、当然、怒りに震えます。「スターリンめ、恩を仇で返したな！」と。

第二次大戦後、東西冷戦に突入しますが、**アメリカとソ連の対立の根っこにも、ユダヤ人のロシアに対する怒りの感情があった**と考えることができます。ソ連に制裁を科すだけでなく、冷戦時、アメリカは一貫してソ連との軍事競争を煽りました。軍事競争は、とにかくお金がかかります。**ユダヤ人の金融資本をバックにもつアメリカは豊富な資金力で、お金が続かなくなったソ連をねじ伏せる格好**となったのです。

ロシアを非難するアメリカが、中国を非難しないのはなぜ？

長い東西冷戦を経てロシアの国内経済が疲弊してくると、当然、民衆の不満が高まり、結果的にソ連は崩壊に至りました。

ソ連崩壊後に、大統領の座に就いたのが、**エリツィン**です。

彼は共産党を離党して野党をつくった人物で、ゴルバチョフ書記長のライバルでした。そのエリツィンを応援したのがアメリカの金融資本でした。ボロボロに疲弊していたロシアの財政と経済を立て直すために**IMF**が緊急融資をするのですが、見返りとして、「外国資本を受け入れよ」と迫ります。特にターゲットとなったのは、石油や天然ガスなどの地下資源でした。

こうして外国資本とロシアの起業家たちが結託して国営企業を切り売りし、莫大な富を築いていきます。これが「**オルガルヒ**」と呼ばれるロシアの新興財閥です。**新興財閥のほとんどは、見事なまでにユダヤ系**でした。経済の自由化によってロシアは経済発展を遂げますが、貧富の差が開き、民衆の不満が高まります。そんな中、エリツィン大統領が心臓病で倒れ、**秘密警察（KGB）**出身のプーチンを後継者に指名しました。

大統領に就任したプーチンは、まずユダヤ系の新興財閥を力ずくでねじり上げました。脱税などの容疑で新興財閥のトップを逮捕し、財産を没収したのです。

かつてスターリンがやったように、石油や天然ガスの油田も再び国営化しました。石油大手ユコスの会長ホドルコフスキーは投獄、プーチン批判の急先鋒ベレゾフスキーはロンドンで変死しました。**ロシア人がプーチンに熱狂する**一方で、アメリカの金融資本はプーチンを敵視するようになりました。

そうした歴史的背景を見ると、アメリカがプーチンの独裁を非難する一方で、中国の**習近平**に対しては甘い理由がわかります。

たしかに、プーチンは独裁化を強めています。では、習近平はどうでしょうか。中国には言論の自由はありません。ウイグル、チベットなど少数民族の弾圧もしています。共産党による一党独裁政権です。それなのに、アメリカは、習近平を厳しく責めたてることはしません。

プーチンと違って中国共産党は外資を受け入れてきたからです。ゴールドマン・サックス社にたっぷり儲けさせてくれる。だから、アメリカは習近平を独裁者として叩くことを控え、軍備増強も、人権抑圧も「見て見ぬふり」をしてきたのです。

ロシアを崩壊させたユダヤ・マネー

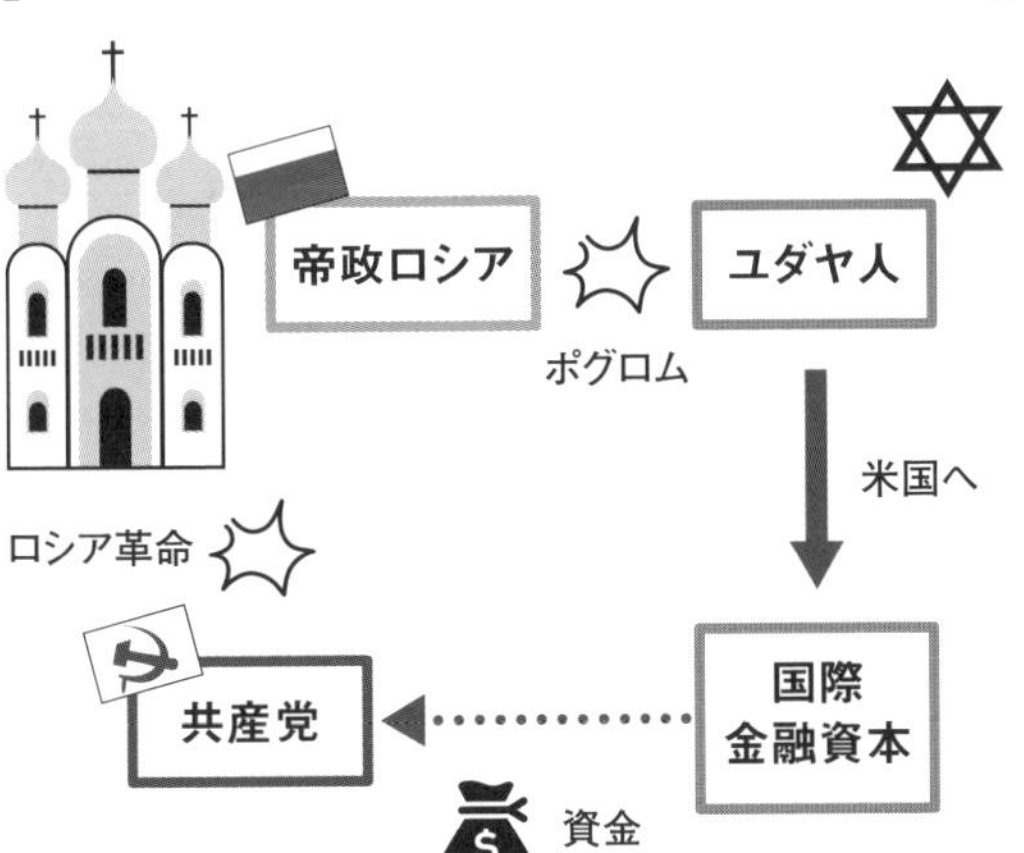

ロシアの国営石油会社・バンコール油田の採掘現場

65ページの写真 ©新華社／共同通信イメージズ

30 アメリカ

アメリカとイスラエルの深い関係とは？

オバマ政権時代にイラン核開発を黙認したことで関係冷え込む。福音派が支持する共和党トランプ政権になりシオニストのイスラエルと再び蜜月に。

アメリカがイスラエルを支援するのはなぜ？

アメリカに移住してきたユダヤ人には、大きな強みがありました。「集金力」です。

ヨーロッパでしたのと同じように、ユダヤ人はニューヨークで金融業を始めます。**ゴールドマン・サックス、ソロモン・ブラザーズ、リーマン・ブラザーズ**といった大手金融機関の創業者は、ユダヤ系移民です。ニューヨークの金融資本として成長したユダヤ人たちは、お金の力によってアメリカで影響力をもつようになっていきます。

ユダヤ人がアメリカで強い影響力をもつのは、強烈な民族意識にも理由があります。彼らは「自分たちはユダヤ人である」という意識を捨てないので、なかなかアメリカ人に同化しません。

これは、日本人とは正反対です。日本からも明治時代に多くの人が、移民としてアメリカに渡りましたが、彼らは**「郷に入れば郷に従え」の精神で一生懸命アメリカ人になろうと努力しました。日系アメリカ人として生きる道を選んだ**のです。

逆にユダヤ人は「私たちはアメリカに住んでいるユダヤ人だ」というスタンス。ユダヤ系アメリカ人ではなく、「アメリカ在住ユダヤ人」として生きることを選んだのです。そして、**1948年にイスラエルが建国されると、アメリカに住むユダヤ人たちは、イスラエル国籍を取得しました**。アメリカでは二重国籍が認められているからです。

当然、**アメリカ在住のユダヤ人たちは、自分たちの魂の祖国であるイスラエルを応援したい。そこで豊富な資金力をバックに、アメリカ政府に対してイスラエルを支援するように働きかけます。**

これまでアメリカがイスラエルを一貫して支援してきた裏には、金融資本を握っているユダヤ人の存在があったのです。

なぜイスラエルは紛争を繰り返すのか？

トランプ大統領の誕生によって、オバマ政権時代と大きく変わりそうなのが、アメリカとイスラエルの関係です。イスラエルについて考えるとき、ユダヤ人を一枚岩と見ると本質を見失うことになります。ユダヤ人には、少なくとも2つのグループがあります。ひとつは、**国境を越えて世界をまたにかけて移動する、グローバリスト・ユダヤ人のグループ**。ウォール街のユダヤ人は、こちらのグループに属します。

もうひとつは、**イスラエルという国をつくってから、祖国を守ろうとしてきたナショナリスト・ユダヤ人のグループ**です。

1948年にユダヤ人が建国したイスラエルは、それまでその土地に住んでいたアラブ人を追放してできた国です。まわりはアラブ人の国ばかりですから、当然、周辺国は敵だらけ。だから、重武装をし、戦争を繰り返すことによって世界唯一のユダヤ国家を守ってきました。

こうした**ユダヤ国家建設運動のことを「シオニズム」**と呼び、それを推し進めるユダヤ人のことを**「シオニスト」**といいます。つまり、**イスラエルは「シオニスト国家」であり、シオニズムはユダヤ・ナショナリズム**なのです。

現在、イスラエルはアラブ人居住地との境界線にコンクリートの巨大な壁をつくり続けています。アラブ人のテロリストが入ってくるという理由です。やっていることはトランプと同じ、グローバリストとは真逆ですね。

グローバルに活躍するユダヤ人はニューヨーク

を拠点とし、世界各地でビジネスをしています。ウォール街のユダヤ人にとって、同じユダヤ人国家であるイスラエルが大事な存在であることに変わりはありませんが、**イスラエルが無用に緊張を煽り、まわりのアラブ諸国と戦争をしていたら、投資活動に支障が出るから困る**。

ですから、ウォール街のユダヤ人は「いい加減にしろ。今の国境で十分じゃないか」と、さかんに中東和平を勧めてきました。アラブ側と妥協しろ、というわけです。そして、スポンサーをしている民主党を通じてアメリカ政府にはたらきかけ、イスラエルとアラブの仲介を推進していったのです。

歴史的に、その仲介を買って出たアメリカの大統領は2人います。

1人がカーター大統領、もう1人がクリントン大統領です。カーターはイスラエルとエジプトを握手させて、クリントンはイスラエルとパレスチナの中東和平を実現させました。2人とも民主党の大統領であることはいうまでもありません。

シオニズムによるイスラエル国家建設

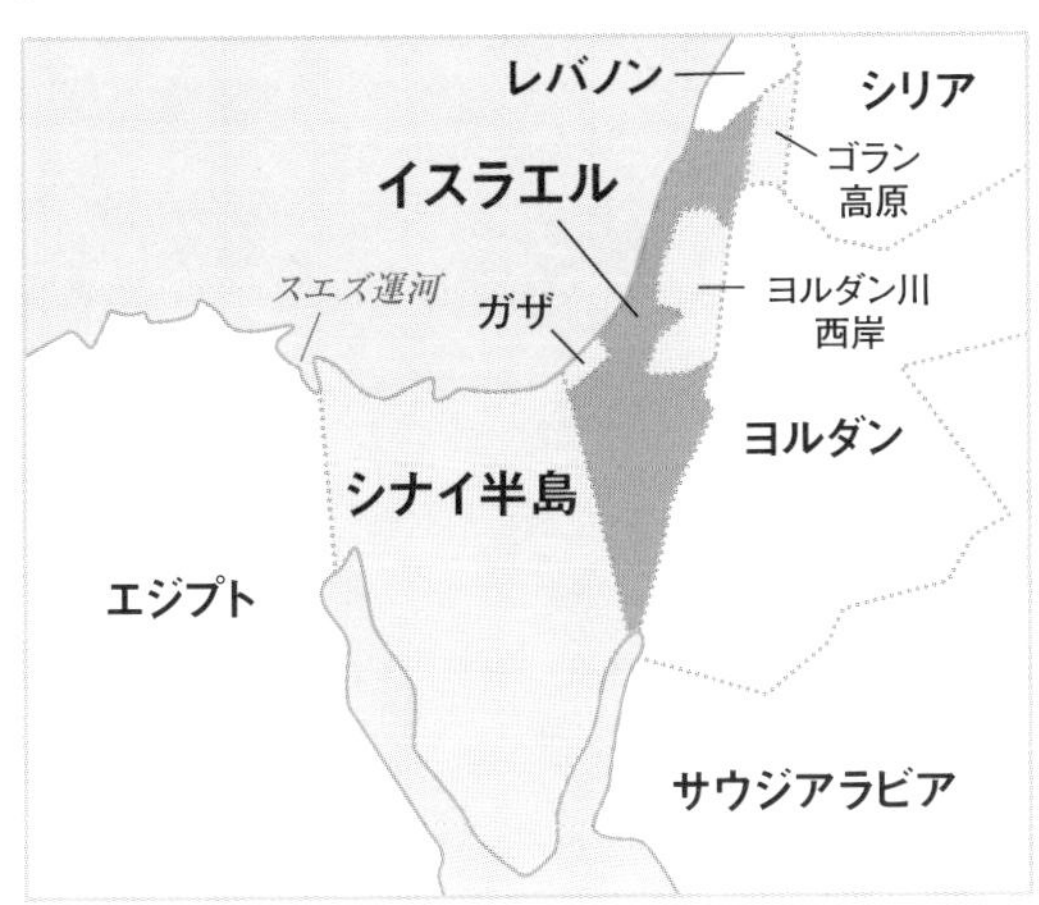

なぜアメリカはイランとの核合意を破棄したのか?

トランプがイスラエルに肩入れすることによって、オバマ時代に混乱した中東情勢は一変することになります。イスラエルが今、いちばん恐れている国があります。アラブの国ではありません。イランです。イランはアラブ人の国ではなく、ペルシア人の国家です。**イラン革命（1979年）**で親米王政を倒して以来、アメリカと対決してきたイランは、核開発をしている疑惑があります。イランの核ミサイルが完成すれば、イスラエル全土がその射程圏に入るのです。

一方で、イスラム教シーア派の盟主であるイランは、サウジなどアラブのスンナ派諸国と対立し、スンナ派の過激派集団であるISとは交戦しています。

オバマはIS掃討作戦という「汚れ仕事」をイランにやらせる代わりに、核開発は黙認し経済制裁も解除したのです。イスラエル（シオニスト・ユダヤ人）は激怒し、ネタニヤフ首相はオバマを罵倒しました。

トランプ政権は、オバマがイランと結んだ合意を破棄しました。現職のアメリカ大統領としてははじめてエルサレムを訪問し、ユダヤ教の聖地「**嘆きの壁**」で祈りを捧げました。

イスラエルはもちろん、イランの核保有を恐れるアラブ諸国も、トランプの中東政策を大歓迎しています。

米国の中東政策

アラブ諸国（サウジアラビア）
国際金融資本（ウォール街）
中東和平 グローバリズム
イラン
民主党
クリントン夫妻 オバマ
1948
イスラエル（シオニスト）
ネタニヤフ
共和党
トランプ ペンス
ユダヤ国家の防衛 ＝ ユダヤ・ナショナリズム
キリスト教福音派
米国
世界最終戦争→キリスト再臨

イスラエルのベンヤミン・ネタニヤフ首相と握手を交わすトランプ大統領

31 アメリカ

アメリカはなぜTTP交渉を離脱し、米中貿易戦争を始めたのか

自国経済保護、孤立主義回帰でTPP交渉離脱のアメリカ。アメリカからの農産物流入を警戒する中国。トランプが仕掛けた米中貿易戦争の行方は。

アメリカはなぜTPPで揺れるのか?

日本の農業に深刻な影響を与えるとして議論になったＴＰＰ（**環太平洋戦略的経済連携協定**）に対してアメリカは一枚岩ではありません。政党間、そして利益集団の綱引きによって、戦略が揺れています。

ＴＰＰは、もともとシンガポール、ニュージーランド、チリ、ブルネイの4つの小国によって始まった自由貿易協定です。環太平洋の自由貿易協定については、**ＡＰＥＣ（アジア太平洋経済協力）**という枠組みもありますが、ＡＰＥＣは参加国が多すぎて実質交渉がなかなか進まない。そこで、数カ国で関税を撤廃する目的で生まれたのが、そもそものＴＰＰでした。

そこへ**途中から割り込んできたのが、大国アメリカ**です。当初のＴＰＰ参加国は、マーケットが小さい国ばかりだったので、アメリカ市場が関税を撤廃し、オープンになることは大歓迎されました。しかしアメリカにとってはほとんどメリットがありません。そこでアメリカに次ぐ市場規模の日本にもＴＰＰへの参加を求めてきました。

ＴＰＰへの参加は、日本が国内産業保護のために課してきた貿易制限を撤廃することを意味します。アメリカは、農業だけでなく、自動車、保険や医療などさまざまな分野についても「規制を撤廃してアメリカ企業の参入を認めろ」と要求しているのです。日本の厳しい規制が貿易赤字の元凶というわけです。

たとえば、日本の保険市場は国民皆保険制度があるので、アメリカの保険会社は新規参入できません。そこで「不公平だから規制を撤廃しろ」というわけです。社会保険制度は日本のほうがはるかに進んでいるのに、「閉鎖的な遅れた制度だ」というわけです。また、「日本には公共事業にも規制がある。不公正だ。市場開放しろ」というのです。

日本側も自民党の強力な支持母体であるＪＡ（農協）が「コメ農家を守れ！」とＴＰＰに猛反発。**トランプ政権も関税引き下げによる自国の工場労働者雇用への影響などから一方的にＴＰＰ離脱を表明**、ＴＰＰとは別の枠組みとして日米双方の関税を削減・撤廃する日米貿易協定を発効（２０２０年1月）させてアメリカの農産物に対する日本側の関税を、ＴＰＰ並みに引き下げさせました。

中国がTPPに参加しないのはなぜか?

では、中国はＴＰＰをどのように見ているのか。**基本的に中国政府は、ＴＰＰを「日米による中国包囲網ではないか」と警戒**しています。

習近平政権はＴＰＰに対抗して、**「アジア太平洋自由貿易圏（ＦＴＡＡＰ）」**の推進に積極的です。これは、日米も含めたＡＰＥＣ21カ国が、自由貿易協定を結ぶというもので、「中国も参加できる緩いＴＰＰ」のようなもの。知的財産権をどうするかといった具体的な中身はこれから協議しますが、「経済的な対中包囲網の無力化」という効果はあるでしょう。金融では**ＡＩＩＢ**、貿易ではＦＴＡＡＰで、アジア経済の主導権を握ろうというのが中国の狙いです。

中国はアメリカをどう見ているのか?

実際のところ中国はアメリカを敵と見ていません。冷戦期を除いて、一度も中国に侵略をしてこなかった唯一の大国という位置づけです。反対

に、長い国境を接するロシア、植民地支配をしようとしたヨーロッパの列強と日本については、潜在的に「敵」だと見なしています。

そもそも第二次大戦のとき、中国共産党を最も積極的に支援したのはアメリカです。当時、アメリカ人ジャーナリストの**エドガー・スノー**が共産党の本拠地・延安まで行って、共産党の指導者・毛沢東のことを絶賛する記事まで書いているくらいです。ところが、東西冷戦期に突入すると、中国とアメリカは対立関係に陥ります。毛沢東が社会主義計画経済を採用し、全企業を国営化したのが原因です。上海の**浙江財閥**も例外ではなく、彼らに多額の資金を投資していた欧米の金融資本は、莫大な損失を被ったのです。

米中関税合戦はなぜ起こるのか?

基本的に中国は一度も攻め込まれたことのないアメリカを敵視していない

親中派キッシンジャーの影響を受けた外務官僚、中国投資で儲ける金融資本の利害は一致

イラク戦争以後のアメリカの衰退を見て、「中国の時代」が来たと勘違いした

強大化し過ぎた中国を警戒する産業界と国防総省が、トランプの貿易戦争を支持している

アメリカは反発し、共産党のライバル浙江財閥と一心同体だった中国国民党の**蒋介石政権**を支援して、毛沢東政権を締め上げにかかります。

ところが、腐敗し切った国民党政権は台湾に逃げてしまい、いくらアメリカが支援しても、蒋介石は「北京まで攻め込む」と威勢のいいことを言うだけで、実際には、本土の共産党を攻めることはありませんでした。結果的にアメリカは台湾（国民党政権）を見捨てるのです。

1950年代の**朝鮮戦争**も、1965年に米軍が直接介入した**ベトナム戦争**も、共通の目的は中国の封じ込めでした。しかし朝鮮戦争は引き分けに終わり、ベトナム戦争も泥沼化、国内ではベトナム反戦運動が起こります。**「倒せない相手は、丸め込むしかない」。結局、中国封じ込めに失敗したアメリカは大きな方針転換**を図ります。

アメリカの**ニクソン大統領**は、1972年、電撃的に北京の毛沢東のもとに飛び、関係改善を果たしたのです。このニクソン訪中を機に米中は蜜月の関係に戻っていきます。1978年には、毛沢東の後継者である**鄧小平**が計画経済の失敗を認め、「これからは、市場経済に移行する」と明言、アメリカなど海外からの投資を積極的に受けるように政策を大転換しました。これを「**改革開放**」政策といいます。

米中を和解させたキッシンジャー外交とは?

米中関係を劇的に改善させ世界を驚かせたのが1972年の**ニクソン訪中**。これを決断したニクソンは、共和党の大統領でした。

そこで、ひとつ疑問が生まれますね。

軍需産業に支えられている共和党は、本来、中国との緊張関係を煽って、軍事予算を拡大したい。中国に対して厳しい姿勢で臨むのが筋のはずです。

実は、ニクソン訪中を画策したのはニクソン大統領のブレーン（大統領補佐官）である**ヘンリー・キッシンジャー**でした。

「今のアメリカは、かつてのナポレオン帝国に似ている。世界中に軍隊を派遣したけれども、ベトナム戦争以来うまくいっていない。もうアメリカによる一極支配は限界で、各地域の列強の勢力圏を認めて、勢力均衡を図るのが得策ではないか」。キッシンジャーはそう考えたのです。

つまり、東アジアなら中国、ヨーロッパならEC、南米ならブラジルというように各地の軸となる国を決めて、地域覇権を認める戦略です。

現在でも、キッシンジャーは絶大な影響力をもっていて、国務省（外務省）内部には、彼の弟子といえる官僚が多数います。彼らは基本的に親中派で、「**パンダ・ハガー**」と呼ばれています。

これに対して、中国の軍拡や人権抑圧、輸出攻勢を警戒し、「巨大化しすぎた中国（ドラゴン）を倒すべきだ」という国防総省や産業界を中心とするグループを「**ドラゴン・スレイヤー**」といいます。彼らを支持基盤とするトランプ政権が、米中貿易戦争を始めたのです。

32 アメリカ

なぜ大統領選でフロリダ州が注目されるのか？

共和党が強い「レッド・ステイト」、民主党が強い「ブルー・ステイト」の狭間で揺れ動く「スイング・ステイト」の動向が大統領選を左右。

なぜ大統領選では、オハイオ州とフロリダ州の結果に注目するのか？

アメリカの大統領選挙に関する報道を見ていると、**アメリカの地図が赤と青の2つに色分けされていたこと**に気づくと思います。

共和党のシンボルカラーは、赤色（レッド）です。共和党が強い州は「**レッド・ステイト**」と呼ばれています。中西部と南部の州のほとんどは共和党の支持者が多いのです。

一方、民主党のシンボルカラーは青色（ブルー）。民主党が強い州は「**ブルー・ステイト**」です。東海岸と西海岸の両サイドは、民主党の支持者が多く住んでいます。

２０１６年の大統領選挙でも民主党のヒラリー・クリントンに票を投じたのは、「ブルー・ステイト」に住む人たちです。一方、共和党のトランプに票を投じたのは、「レッド・ステイト」に住む人たちです。これは固定票です。しかし、レッド・ステイトとブルー・ステイトの狭間に位置する州がいくつかあり、それらは、どっちつかずのポジションです。**これらの州は、選挙のたびに共和党支持か、民主党支持かで揺れ動くため、**「スイング・ステイト」と呼ばれています。

オハイオ州やフロリダ州などは典型的なスイング・ステイトで、これらの大票田を押さえたほうが圧倒的に有利になります。スイング・ステイトが選挙の結果を左右するため、毎回、両陣営が激しく票を奪い合うことになるのです。２０１６年の選挙では、スイング・ステイトの多くを押さえたトランプ陣営が勝利しました。

トランプを支持したのは誰か？

スイング・ステイトは、なぜトランプ支持に傾いたのか。それは、オバマ大統領、８年間の民主党政権に失望したからにほかなりません。自分たちのために何もしてくれない民主党よりも、何かを変えてくれそうなトランプのほうがましだ、という判断を下したのです。

とくに、民主党政権に不満を抱えていたのが「**ラストベルト**」です。**ラストベルトとは、「さびついた工業地帯」の意味で、かつて製造業で栄えながら、国際競争にさらされて衰退したエリアを指します**。具体的には、ミシガン、オハイオ、ペンシルベニア、ウィスコンシンなどの州が該当します。

地理的にいえば、アメリカ南部は気候が暖かいため農業中心、気候が農業に適さないアメリカ北部は工業中心でした。１９５０年代までアメリカ経済を牽引してきたのが自動車産業を中心とする製造業で、まさに北部がアメリカの繁栄の中心でしたが、１９６０年代に入ると、日本やドイツの工業製品に敗北し、近年では中国の安価な工業製品に抜かれる結果となってしまった。まさにアメリカ北部の工場が「さびついてしまった」というわけです。

ラストベルトの労働者は、「オバマ政権はわれわれ製造業のために何もしてくれなかった」という不満を抱えていました。**しかも、オバマ政権が推し進めてきたＴＰＰ（環太平洋連携協定）は日本車の関税を撤廃し、**

ブルー・ステイトのニューハンプシャー州で支持を訴えるトランプ大統領

アメリカの製造業にとって不利にはたらくため、ＴＰＰ離脱を公約していたトランプ支持に一気に流れたのです。

トランプがメディアに強気になれるのはなぜか？

事前報道では民主党のヒラリー有利。これは大手メディアが選挙情勢を見誤った部分もあります。**インターネットの力を軽視してしまった**のです。

トランプはもともと、大手メディアが自分のほうに肩入れしないことはわかっていました。だから、自らの演説は大手メディアには流さずに、インターネットを通じて独自に配信しました。ツイッターやネットテレビも積極的に使い、どんどん情報を発信していきました。

すると、**「大手メディアの報道は偏っていないか？　トランプはアメリカを変えてくれそうじゃないか」**という人たちがあらわれ、大手メディアを見ずに、インターネットから自分たちがほしい情報ばかりを集めるようになります。

一方で、大手メディアから情報を得ている人たちは高齢者中心で、インターネットからは距離を置いています。その高齢者がみんな「ヒラリーのほうがいい」と民主党を推すから、ニュースを流しているメディアのほうも目が曇っていく。大手メディアは、自分たちの読者や視聴者ばかり見て、インターネットで情報収集しているアメリカ国民の意思をくみとることができなかったのです。

そもそも大手メディアが実施している世論調査も、あてにできません。一般人からランダムに対象者を選び出して調査をしているのですが、いまだに固定電話にかけています。

しかし、固定電話をもっていない人は今や大勢います。とくにネット世代の若者はスマートフォンが主要な連絡手段になっています。

日本のメディアも同じ問題を抱えていますが、**既成メディアは過去の遺物になりつつある**のです。

トランプは当選後も大手メディアの報道を「フェイク・ニュース」（うそニュース）と呼び、敵対関係を続けています。

トランプが強気に出られるのは、既成のメディアよりもインターネットのほうが存在感を増しているから。「大統領の肉声を毎日ツイッターで読めるんだから、テレビニュースを見なくてもいいじゃないか」という人が増えているのです。

大統領選で注目されるオハイオ州フロリダ州

ウィスコンシン州
ミシガン州
ペンシルベニア州
ラストベルト
ワシントンD.C.
オハイオ州
フロリダ州
民主党支持基盤
共和党支持基盤
スイング・ステート

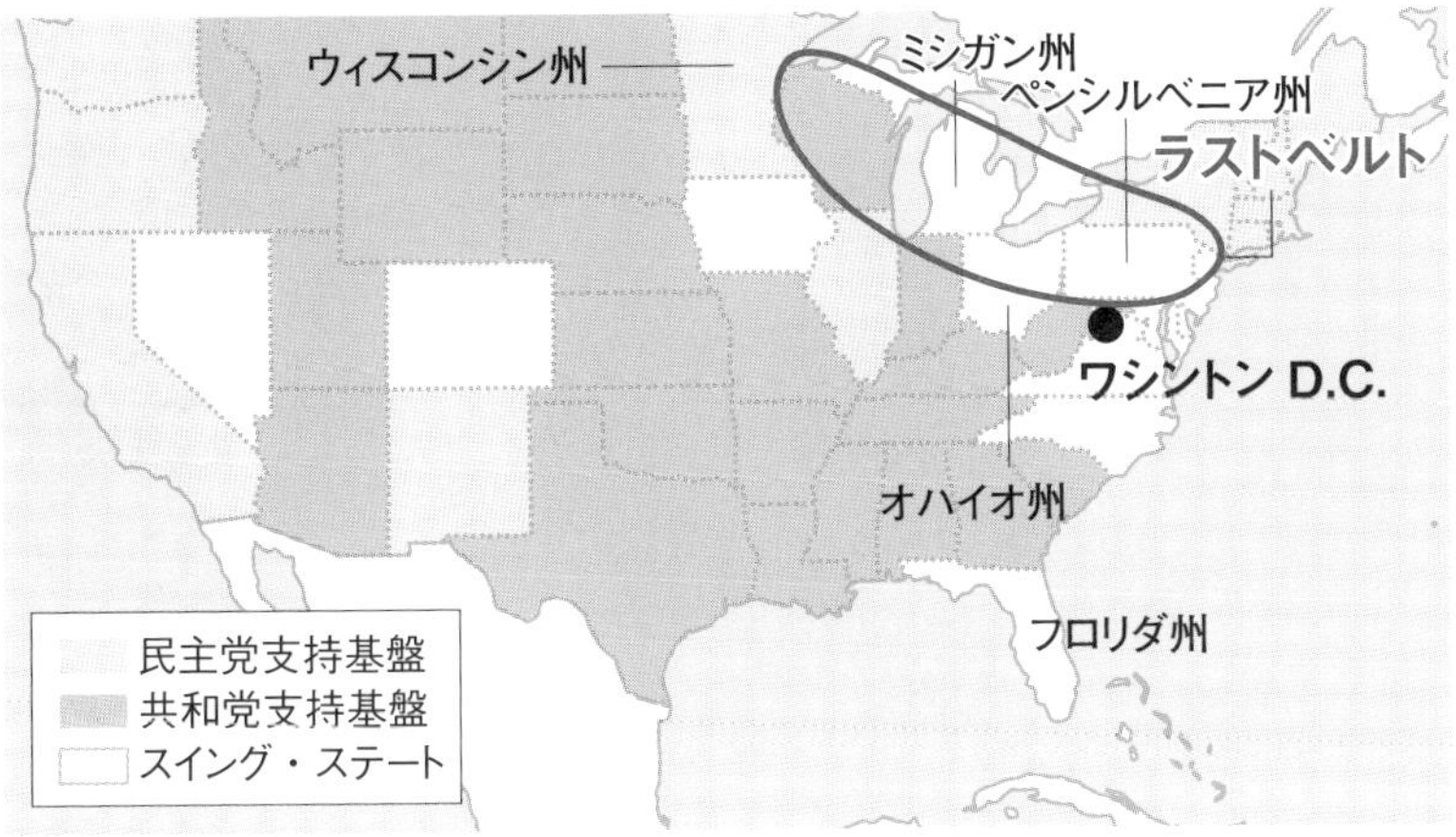

2016年アメリカ大統領選挙の開票速報に落胆するクリントン氏の支持者たち

70ページの写真 ©ＵＰＩ／ニューズコム／共同通信イメージズ、71ページの写真 ©ロイター＝共同

33 アメリカ

アメリカがフェイクニュースで揺れる理由とは？

高福祉を目指し「大きな政府」を志向するリベラルと、低福祉でも自主独立で低負担を是とする「小さな政府」派の保守が互いにダメージを与え合う。

トランプとメディア、嘘つきなのはどちらか？

大統領選をきっかけに「フェイク・ニュース」という言葉をよく聞くようになりました。これも、インターネットの存在感が増していることを示しています。選挙期間中、インターネット上には、**事実とは異なる「嘘のニュース」が氾濫しました。相手に都合の悪いニュースを流して、民主党、あるいは共和党の候補者にダメージを与えることが目的**でした。しかも、ネット世代は、大手メディアの報道を見ずに、ネットだけで情報収集をしているので、都合のよい情報しか見ない。だから、フェイク・ニュースも「事実」として、ネット上に伝播していくことになります。

一方で、**大手メディアが「フェイク・ニュース」を流していることもネットによって見破られてしまいました。**たとえば、トランプ大統領の就任式典のときに、『ニューヨーク・タイムズ』が2枚の写真を並べて、「オバマ大統領の就任式典のときはこんなに人が集まっていたのに、トランプ大統領のときはガラガラだった」と報じました。

ところが、インターネット上の検証によって、トランプのときのガラガラ写真は、式典が始まる前のものだったことがあきらかになりました。

また、イスラム世界7カ国からの入国制限の大統領令をトランプが出した結果、各地の空港で該当国の一般人が足止めされるなど混乱が生じましたが、このとき、**大手メディアは、まるで未来永劫、アメリカに入国できないかのような報道**をしました。

しかし、オバマ政権時代からイラクからの入国を制限していましたし、トランプは「紛争地帯やテロリストが潜伏している国からの入国をいったん止めて、審査を厳格化するまで入国させない」といっていたわけで、あくまでも「期限付き」の措置でした。未来永劫、入国を許さないとはひと言もいっていないのです。

当然トランプは「フェイク・ニュースだ」と批判していましたが、大手メディアがトランプ下ろしの意図をもってプロパガンダしている面も否定できません。「トランプが『大手メディアは嘘つきだ』と攻撃するのは暴言、妄言だ」という人もいますが、そうともいい切れない側面があるということ。**ネット上には嘘も多いですが、真実に光を当てる力**もあるのです。

「アメリカ・ファースト」とは何か？

トランプは選挙中から徹底して「**アメリカ・ファースト（アメリカ第一主義）**」を訴えてきました。国際社会での影響力が低下しているアメリカは、国内の社会、経済の立て直しを最優先し、国際問題への関与を可能な限り控えるべきであるという考え方です。TPPから離脱し、自国の経済を守る「**保護主義**」も、まさにアメリカ・ファーストの現れのひとつです。

歴史的にいえば、「アメリカ・ファースト」を掲げる大統領は初めてではありません。19世紀前半、第5代大統領の**モンロー**は、「孤立主義」の立場をとりました。これを「**モンロー主義**」ともいいます。**「アメリカは勝手にやるので、ヨーロッパは口を出さないでくれ。ゴタゴタにも巻き込まないでほしい」と国同士の相互不干渉を貫きました。**「俺の生活は自分で勝手にやるんで政府は邪魔するな」という「草の根」のアメリカ人の生き方を、国レベルに広げたようなイメージです。

したがって、19世紀を通じて、アメリカはヨーロッパの戦争に一切介入することなく、ひたすら西部開拓に専念していました。

モンロー主義が可能だったのは、アメリカの地理的ポジションが大きく関係しています。なにしろ、アメリカはヨーロッパから5000キロも離れているのです。アメリカという国は、地球全体から見れば「離れ小島」と表現することもできるのです。もしアメリカが、もう少しヨーロッパに近かったら、さまざまな紛争に巻き込まれていたはずです。

地理的に遠いからこそ、第一次大戦に巻き込まれずに済みました。第二次大戦でも、ドイツ軍や日本軍によってアメリカ本土が空爆されたことはありませんでした。遠すぎたからです。アメリカの地政学的ポジションは圧倒的に優位なのです。

アメリカの「保守」と「リベラル」の違いとは?

政治における思想的な立ち位置を示す言葉に、「**保守**」と「**リベラル**」があります。アメリカでいえば、最初にイギリスからやってきた白人、つまり開拓農民たちは、典型的な「保守」の立場です。共和党の支持層ですね。

一方、**19世紀後半以降にアメリカに移民としてやってきたヨーロッパやアジアの貧しい人たちは、「リベラル」の立場**です。彼らは、民主党の支持層と重なります。彼らは「アメリカに行ったら豊かになれる」と希望をもって海を渡ってきた。でも結局、うまくはいきませんでした。というのも、**西部の未開拓地は、もうほとんど残っていなかった**からです。だから、結局、アメリカに渡ってきたけれども、低賃金で長時間労働を強いられることになりました。当然、生活も苦しい。

すると、彼らはこう主張し始めます。「政府は私たちの面倒を見るべきだ」と。「保険や年金の制度を整備し、福祉を手厚くしてほしい。学校を建てて、医療費を下げてほしい……金持ちから税金を取って俺たちに分配すべきだ」と訴える。これがリベラルです。

当然、重税をかけられる結果となる白人たちは、「なんで、俺たちが移民の面倒を見なくてはならないんだ」と反発することになります。つまり、**リベラルは、重税だけれど高福祉を提供する「大きな政府」を志向します。反対に保守は、低福祉でいいから減税をしろという立場なので、「小さな政府」を志向します。**国民の9割以上が公的医療保険に加入することを目指した「オバマケア」などは、まさにリベラルな政策でした。

トランプは「公共投資拡大」を打ち出しましたが本来は大きな政府の仕事。これまでの共和党の政策とは大きく異なりますがリーマンショック以後のアメリカの経済状況は放っておけないほどの状態なので、「大きな政府」的な政策を打たざるを得ないのです。そうはいっても、共和党の保守本流の考え方とは異なるので、どこまで公共事業を続けられるかは注目すべき点でしょう。

保守とリベラルのフェイクニュースでの綱引き

リベラル
「グローバリズム、自由経済、大きな政府」

保守
「孤立主義、保護主義、小さな政府」

お互いに相手陣営を貶めるために相手が不利になるフェイクニュースを流す

各国における所得の伸び(所得層別)

1975年〜2007年の所得

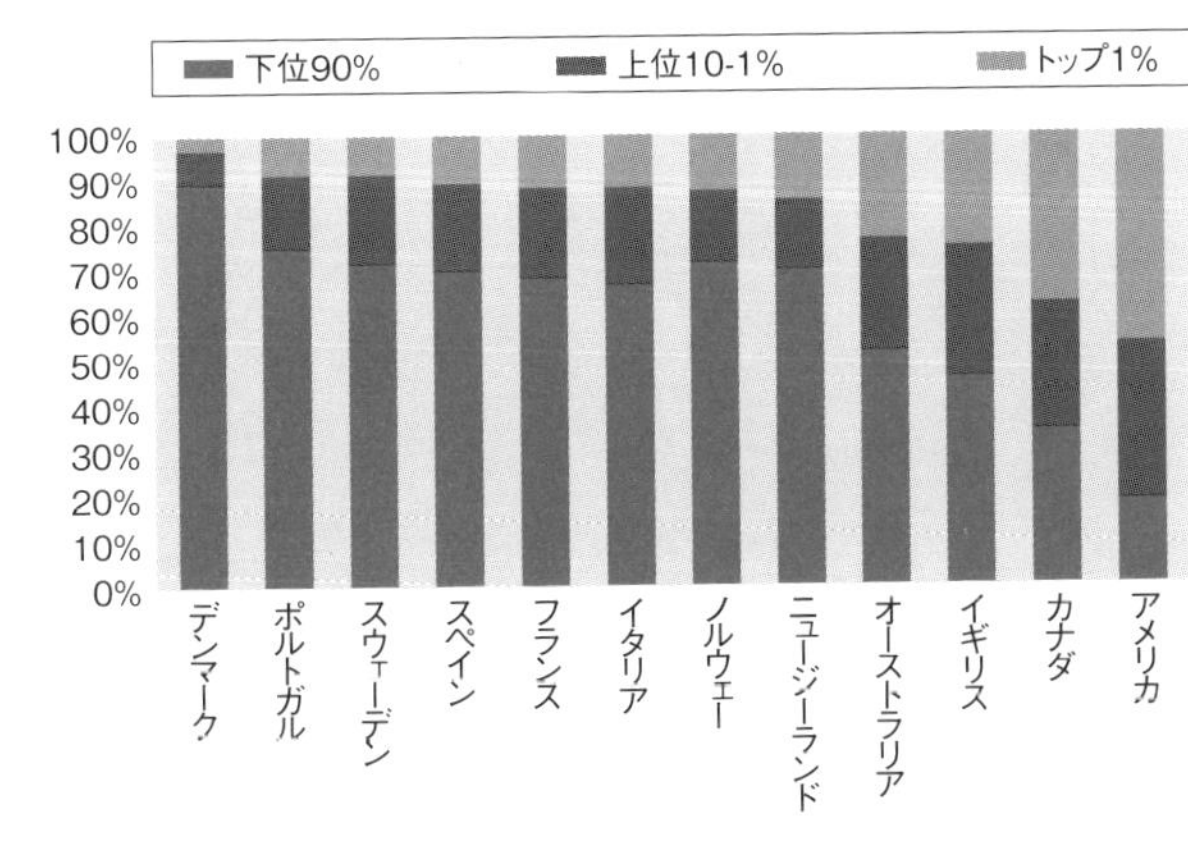

34 アメリカ

なぜ民主党はウォール街に協力するのか？

インターナショナルを目指し世界の警察として君臨するアメリカをつくってきた民主党。グローバリズムで儲ける金融資本との蜜月が長い。

なぜ、貧しい移民のための「民主党」がウォール街と協力するのか？

民主党は本来、貧しい移民のための政党でした。ところが、20世紀に入るとウォール街との関係がズブズブに深くなっていく。もちろん、共和党もウォール街と良好な関係を維持していますが、民主党とウォール街の蜜月の関係に比べたらかわいいものです。それくらい、**ウォール街と民主党は切っても切れない関係**になっています。

では、こうした関係はいつから始まったのか。歴史をひもといていきましょう。時代は、１００年前のウィルソン政権までさかのぼります。

ウィルソン大統領時代の大きな出来事といえば、第一次大戦に参戦したことです。ウィルソンは、「アメリカ第一」のモンロー主義を放棄した。そして、「国際連盟をつくろう」とはたらきかけたことでも有名です。国境を越えて「世界政府」を本気でつくろうとした人物です。これに対し、孤立主義（モンロー主義）の伝統に立つ共和党が猛烈に反対します。

「ヨーロッパの戦争に介入するな。国際連盟なんかにアメリカが加盟したら、世界のごたごたに巻き込まれるだけだ」というわけです。

議会（上院）の多数派が共和党だったため、国際連盟への加入は否決されました。これが、いい出しっぺのアメリカが、国際連盟に加盟しなかった理由です。

ウィルソン大統領の次に民主党政権を率いたのが、**フランクリン・ルーズベルト大統領**です。ルーズベルトは、第二次大戦に参戦し、ヨーロッパと太平洋に大軍を派遣しました。そして戦後は、**国際連合**をつくりました。今の国連ですね。

こうしてみると、歴史的に民主党というのは、インターナショナルを目指すことがわかります。

「アメリカは世界の警察でなければならない」といい出したのも民主党のウィルソンでした。

冷戦終結後、民主党のビル・クリントンが大統領になったとき、政権の財務長官に初めてゴールドマン・サックスの出身者が就任しました。ロバート・ルービンというゴールドマン・サックスで会長まで務めていた人物です。民主党政権を陰で支えてきたウォール街が、政権中枢にまで乗り込んできたのです。**民主党も国際金融資本も「グローバリズム推進」という点で、利害が一致する**からです。

「FRB」は誰の味方なのか？

日本の紙幣や貨幣を発行しているのは、**日本銀行**。では、アメリカのドルを発行している銀行は、どこでしょうか。答えは、**ＦＲＢ（連邦準備制度理事会）**です。

みなさんは、ＦＲＢは、日本銀行のように政府機関のイメージをもっているかもしれませんが、

民主党とウォール街

ウォール街の金融資本が出資した FRB をウィルソン大統領が認可

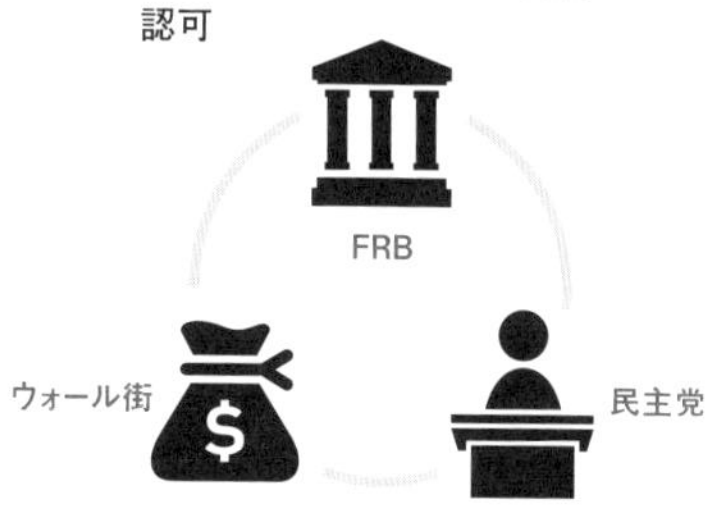

FRB

ウォール街

民主党

クリントン政権時代は民主党を支えてきた、ウォール街からゴールドマンサックス出身のロバート・ルービンが財務長官就任

第一次世界大戦参戦でアメリカ第一の孤立主義モンロー主義を廃棄。後に民主党ウィルソン大統領が国際連盟創設を働きかけ

実態は民間銀行です。**ウォール街の金融機関が出資しているので、国際金融資本とFRBは一体であると考えるべき**でしょう。歴史的にも、FRBを認可したのは、民主党のウィルソン大統領でした。

つまり、100年も前から、ずっと民主党はグローバリズムを推進してきたのです。現在のゴールドマン・サックスをはじめとする国際金融資本とのズブズブの関係も、その延長線上にあるというわけです。

実は、オバマも例外ではありません。オバマは、富の格差に苦しむ若者や、移民労働者層の支持を集めて大統領になりましたが、結果的には、国際金融資本の勢力にからめとられていきました。そして、オバマが大統領だった8年間、アメリカは何も変わりませんでした。

トランプ政権は、金融資本に従属していないという意味では、本当の意味での政権交代を実現したといえます。

同じ共和党でも、**ブッシュ大統領親子**は国際金融資本寄りでした。**もともとブッシュ家はテキサスの石油屋さん**です。ウォール街には石油産業に投資してもらわないといけない。だから、ウォール街とはケンカできませんでした。

ウォール街のシンボル　巨大な雄牛の銅像

とくに、息子のジョージ・W・ブッシュは共和党政権としては特殊で、アフガニスタンやイラクに積極的に侵攻していきました。**結果的にブッシュ親子は、国際金融資本の思惑通りに動き、イラクの油田は彼らの手に落ちた**のです。

このように国際金融資本の影響力を考えると、その意のままにならないトランプが各方面から目の敵にされている理由がわかってきます。

ヒラリーが負けた意外な理由とは？

では、国際金融資本の強力なバックアップを受けながら、**ヒラリー・クリントン**がトランプに負けたのは、どこに原因があったのでしょうか。

彼女自身、ウォール街とズブズブの関係でしたから、大手メディアにチヤホヤされて調子に乗ってしまったところがあると思います。メディアがつくった「虚像」を自分も信じてしまった。

だから、「トランプなんてやつはほんとうに品のない、ダメな人間だ」と見下してしまったのでしょう。

結局、トランプ支持に流れた人たちの気持ちをうまくくみ取れなかったのです。

しかも、本来の支持層であるリベラルの中にも、「俺たちはオバマに裏切られた。ヒラリーが当選したら、また4年間、同じことが続く。もう、うんざりだ」という人たちがあらわれました。

民主党の予備選でヒラリー・クリントンと最後まで争った**バーニー・サンダース**が、予想以上の健闘を見せたのも、ヒラリーに対する拒否感のあらわれでしょう。簡単にいえば、サンダースは社会主義者です。バリバリの左翼ですが、弱者の味方という意味では、少しトランプと似ていた面があります。

トランプは選挙中にこういう意味のことをいっていました。

「社会主義とは相容れないウォール街の金融資本が、サンダースではなく、ヒラリーに投票しろと圧力をかけたから、民主党の予備選でヒラリーが勝ったんだ」。トランプは、実はサンダースにシンパシーを抱いていたのだと思います。

2016年　アメリカ大統領選挙・フロリダ州で演説するヒラリー・クリントン

35 アメリカ

世界の警察をやめても軍事費が増大するのは？

本気で世界で戦争をする気はないが、軍需産業による内需拡大と世界からなめられないための脅しのために軍事費を増強するアメリカ。

なぜ世界の警察をやめるのに軍事費の増強をするのか？

第一次大戦への参戦を決断した民主党のウィルソンが大統領になってから、アメリカは「世界の警察」の役割を果たしてきましたが、オバマ大統領は中東をはじめ、世界の紛争から手を引き、弱腰の外交に終始しました。**トランプも「強いアメリカを取り戻す」といいつつも、一方で「孤立主義」をとろうとしています。**このままアメリカは「世界の警察」をやめてしまうのでしょうか。

ウィルソン以降の、ルーズベルト、クリントンといった民主党政権は、グローバリズムに傾倒し、「世界の警察」としての地位を築いてきました。朝鮮戦争への介入も民主党の**トルーマン大統領**ですし、ベトナム戦争も民主党のジョンソン大統領の時代です。民主党政権というのは、オバマの影響もあって平和主義のように見えるかもしれませんが、歴史を振り返ると、実は戦争ばかりしてきたのです。

一方、共和党で大きな戦争をしたのは、ブッシュ父の湾岸戦争、ブッシュ息子のアフガン、**イラク戦争**くらいです。ということは、アメリカが常に「世界の警察」を貫いてきたわけではありません。政権交代が起きて共和党の大統領になれば、そのたびに揺り戻しが起きてきたのです。

ですから共和党のトランプが「世界の警察」の役割を放棄しても不思議ではありません。

ただし、**トランプは孤立主義を表明する一方で、「ISは潰す」と公言**しています。なぜ、そのような発想になるかというと、**「ISをつくり出したのがオバマとヒラリーだから」という理由**です。「やつらが何もしなかったから、けしからん連中が跋扈している。だから、私はISを壊滅させる」というわけです。

しかし、実際には、ロシアなどの力を利用して関与するというのが実態で、アメリカ軍が積極的にISと戦っているわけではありません。

トランプが軍事費を10％増強すると発表しましたが、**外に出て戦争をしたいというよりも、「内需を拡大したい」というのが本音**です。

軍需産業は、下請け企業まで含めると、膨大な雇用を生み出すからです。したがって、「世界の警察をやめる」という伝統的な共和党のスタンスとも一致しています。北朝鮮に対しては強硬な態度を示しましたが、トランプは他国に攻撃をしかけるのではなく、守りに専念するのが、基本的な態度だと思います。

アメリカによるシリアへのミサイル攻撃、本当の狙いとは？

アメリカが「世界の警察をやめる」という方向は変わりません。ただし、オバマ政権のときのように諸外国になめられるような態度をとらない、というのがトランプのスタンスです。就任早々、年間60兆円の軍事費を10％（6兆円）増額すると

2017年に行われた米中首脳初会談

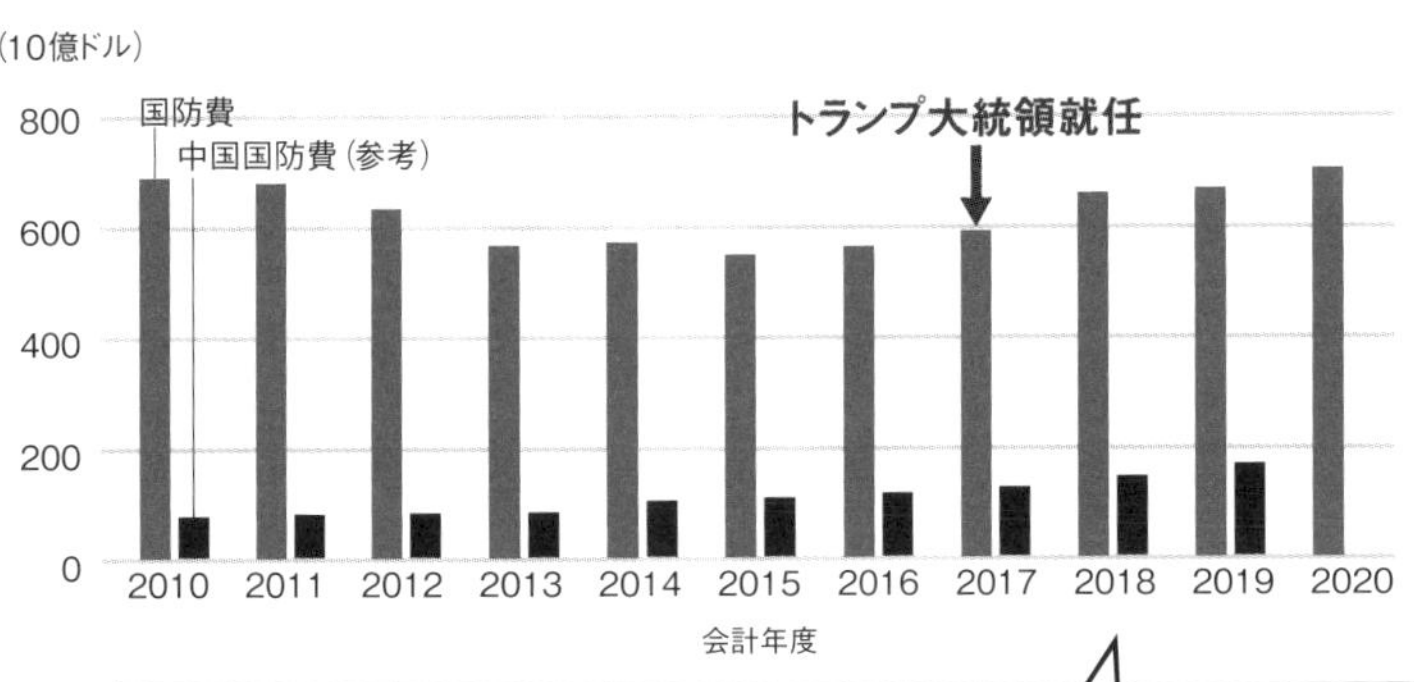

の方針を示しました。ちなみに、日本の防衛費は5兆円です。これほど軍事費を増強したのは、冷戦末期のロナルド・レーガン大統領以来です。

軍事力を強化し、**ロシアや中国、北朝鮮の挑発があれば叩きのめすと脅しをかける。けれど、アメリカからは手は出さない。これがトランプの基本的な対外戦略**です。

2017年4月、「シリアの**アサド政権**が反政府武装勢力に対して化学兵器を使用した」と判断したアメリカは、シリアの空軍施設をミサイルで攻撃しました。

しかも、たまたま訪米中だった習近平国家主席とデザートを食べている最中にシリア攻撃を伝え、習近平を絶句させました。シリア攻撃の狙いとは何だったのでしょうか。

北朝鮮が核ミサイル実験を繰り返してアメリカを挑発し、北朝鮮の支援国である中国がこれを黙認する中で行われた突然のシリア攻撃は、「調子にのるとシリアと同じ目に合わせるぞ」という金正恩への脅しです。「北朝鮮をもっと締め上げろ」という習近平への強烈なメッセージでもありました。

アメリカとロシアは和解できるのか？

トランプ政権の誕生で、ロシアとアメリカの関係は、どうなるのでしょうか。トランプは、選挙期間中からプーチンとの蜜月の雰囲気を醸し出していました。**プーチンが反グローバリストで、民族派の代表的な指導者**だからです。

ロシアの情報機関は、トランプが優勢になるよう米国内で世論操作を行なっていました。これにトランプ本人が関わっていたのでは？　という疑惑がロシア・ゲートですが、その証拠はまだ見つかっていません。

しかし、トランプ政権が、「再び化学兵器を使用するのを防ぐため」という理由で、プーチンが支援するシリア政府軍の空軍基地を空爆して以来、トランプとプーチンの関係は冷却化しているように見えます。

実際は、どうなのでしょうか。

おそらく当面は激しく対立することはないでしょう。「当面」というのは、ISを潰すまで、です。**ISを壊滅させるには、どうしてもロシアの協力が必要になります。徹底的にISを攻撃しているのはロシアだからです**。このままいけば、とりあえずシリアの内戦は終了し、ISは崩壊するでしょう。そして、親ロシア政府であるシリアのアサド政権が息を吹き返すことになります。このような展開になれば、プーチンの大勝利です。

そのあと、ロシアは調子に乗って、さらに中東に首を突っ込む可能性があります。

もともと冷戦時代、イラクやエジプト、リビア、チュニジアなど、中東には親ロシア政権がたくさんありました。しかし、**オバマ政権が仕掛けた「アラブの春」によって、親ロシア政権が倒れ、ロシアは中東での存在感を失っていました**。

唯一、ロシアの影響力が残っていたのが、シリアのアサド政権だったのです。シリアで勝利を収めれば、プーチンは昔のように中東でのプレゼンスを発揮したいと欲を出す可能性があります。そのとき、トランプが黙っているかどうか。やはり、座視するとは考えにくい。

しかも、共和党の保守本流は反ロシアですから、アメリカとロシアが本当の意味で和解することは考えられません。

36 アメリカ

メキシコ国境の壁はなぜつくられるのか?

不法移民を締め出すメキシコの壁計画は、移民へのイメージ悪化を憂慮する合法移民のヒスパニックからも支持されている。

メキシコとの国境に壁はつくられるのか?

トランプは大統領選でメキシコとの国境に巨大な壁を建設し、**不法移民の流入を防ぐことを公約に掲げました**。

不法移民によって仕事を奪われ、治安悪化に悩んでいた国境沿いの州は歓迎し、トランプ支持にまわりました。フロリダ州などメキシコと国境を接していない「スイング・ステイト」でも、**メキシコの壁**は支持を集め、トランプ勝利の要因となりました。フロリダ州などには、メキシコから移民としてやってきたヒスパニックが多数はたらいています。にもかかわらず、壁を支持するとはどういうことでしょうか。

ひと口に移民といっても、「**合法移民**」と「**不法移民**」がいます。トランプは、選挙戦を通じて「ヒスパニック、つまり中南米からの『不法移民』は入れない」といっていました。ヒスパニック全員を追い出すとはいっていない。**「不法移民を追い出す」と約束**したのです。

これを聞いて、すでにアメリカで生活していたヒスパニックの人たちは拍手喝采を送りました。「俺たちは合法移民だから、堂々とアメリカで生きていける」というわけです。**近年急増しているヒスパニックの票が集まったので、トランプは選挙戦を優位に戦えた**ともいえます。

「メキシコとの国境に壁をつくる」という公約については、アメリカや日本のメディアでは、「とんでもない愚行だ」という論調が強かったようですが、当事者の立場からすれば、「現実を何もわかっていない」というのが本音でしょう。

メキシコとの国境付近は、国境とは名ばかりで何もない。砂漠のような土地が延々と続き、国境が長すぎて壁はおろか柵さえつくれない。柵をつくった部分もボロボロで、意味をなしていない。しかも、国境付近では英語もほとんど通じません。

メキシコは、マフィア戦争で荒廃し、ろくな仕事もありません。だから、次々と不法移民が国境を越えてきます。彼らは、国境付近にとどまらず、アメリカ各地に散っていきます。低賃金で働きますから、これまで住んできた人たちの仕事を奪っていきます。しかも、不法移民が入ってくれば、治安も悪化する。

不法移民に対して直接的な不満をもっているアメリカ国民が、「国境に壁がないのはおかしい。トランプは正しいことをいっている」という反応をするのは、当然ともいえます。日本には地続きの国境がないので、実感をもってこの問題をとらえることが難しいのかもしれません。仮に、どこかの国と地続きでつながっていて、その国が無政府状態になってしまったとします。マフィアがド

建設中のメキシコ国境の壁

ンパチやっているのに、国境線に柵がなくて、不法移民がどんどん入ってくる。政府が「壁をつくる」といえば、反対する人はまずいないはずです。**地続きの国境がない日本人が、メキシコとの壁の問題を理解するには、想像力をはたらかせることが必要**なのです。

なぜメキシコではマフィアが暗躍するのか？

トランプ大統領は、メキシコとの国境に壁を建設する方針です。

しかも、選挙期間中は「建設費はメキシコに払わせる」と豪語していました。さすがに、メキシコが建設費を支払うことはありませんが、メキシコとアメリカの関係は悪化しました。メキシコの側からすると、**不法移民が急増したのは、もとをただせばアメリカに原因がある**、ということになります。

歴史的に見ると、メキシコは2回、アメリカにひどい目に遭わされています。

一度目は19世紀の半ば。アメリカとのメキシコ戦争の結果、今のテキサス州とカリフォルニア州などロッキー山脈以西の土地を奪われました。

二度目は、冷戦終結後の１９９０年代、アメリカとカナダとメキシコの3国間で貿易協定を結びました。それが、**ＮＡＦＴＡ（北米自由貿易協定）**です。北アメリカ限定のＴＰＰみたいなもので、国境の壁を低くし、人・モノ・金の移動を自由にすることが目的です。中心になって交渉を進めたのは、民主党のビル・クリントン大統領。

その結果起きたのが、メキシコ農業の破壊でした。関税を撤廃したことで、アメリカ産の安い農産物がメキシコ国内にドーンと入ってきました。メキシコの零細農民は、ひとたまりもありません。治安は悪化し、南部の貧しい地域では暴動も起こりました。

そして、**飯が食えなくなった農民たちは、手っ取り早くお金になる作物を育て始めます。そうです、麻薬（アヘン）**です。

すると、今度は、麻薬栽培を仕切るマフィアが跋扈するようになり、麻薬の利権を巡ってマフィア戦争が勃発。メキシコ国内は荒廃し、経済はめちゃくちゃになりました。

こうして、飯を食うためにアメリカに不法移民として越境するメキシコ人が急増したのです。

こうして見ると、**メキシコの不法移民の背景には、ＮＡＦＴＡの締結があった**ことがわかります。

もちろん、メキシコがＮＡＦＴＡを締結すれば、メキシコ経済がガタガタになることはある程度、予測できていたはず。

それでも拒否できなかった理由は、メキシコがアメリカから借金をしていたからです。メキシコは何度も財政破綻していて、そのたびにアメリカからお金を借りてきたのです。その融資の条件が「国を開いて関税を撤廃せよ」というものでした。これでは、ノーとはいえません。

しかも、その融資を実行する組織は**ＩＭＦ（国際通貨基金）**で、ウォール街の国際金融資本とほぼ一心同体ですから、メキシコはグローバリズムの被害者といえるでしょう。

トランプはＮＡＦＴＡを再交渉して、保護関税を可能とするＵＳＭＣＡに改組しました。ＮＡＦＴＡの再交渉は、長期的にはメキシコ人にとって悪い話ではありません。メキシコ経済を再建するチャンスだからです。アヘンなどを栽培しなくても、農民が飯を食べていけるようにするには、関税を復活させればいいのです。

メキシコ国境の壁

19世紀半ばアメリカとの戦争で土地を奪われたメキシコの苦い経験が背景。民主党クリントン政権時代 NAFTA でアメリカ産農産物大量に入り込んだことでメキシコの主要産業農業に大打撃。景気と治安悪化。麻薬栽培マフィア暗躍。結果的に不法移民がアメリカへ越境

アジア

目覚めた大国

第4章

陸と海の力を拡大させ、虎視眈々と領土拡張を狙う中国。だが共産党一党独裁政権故に経済、人心掌握の面でも脆さがあり張り子の虎の危うさも。

野心に新たな

37 アジア

日本の親中派と中国の反日感情が生まれた理由は？

改革開放の中国への政府開発援助で投資を行い利益を得た親中派。共産党権力による富の集中からのガス抜きとしての反日教育がぶつかり合う。

日本の親中派はどのように生まれたのか？

日中関係は尖閣問題、歴史認識問題などを抱え、緊張状態が続いています。しかし、かつては日中友好の時代が長く続きました。

１９７２年、自由民主党の**田中角栄首相**は、大変なショックを受けます。**ニクソン大統領による中国の電撃訪問**です。自民党の基本政策は「親米」です。東西冷戦でソ連・中国と対立するアメリカに追随し、ずっとアメリカの顔色をうかがってきたわけです。にもかかわらず、アメリカは日本に事前の相談もなく、ニクソン訪中を断行した。これこそ元祖「**ジャパン・パッシング**」ですね。田中角栄は激怒します。「なぜ、アメリカは日本のことを無視するのだ！」と。

田中角栄はニクソンのあとを追うように北京を訪問して毛沢東と握手し、アメリカよりも先に中国と国交を結びます。日中国交回復をきっかけに、日本による中国への投資が盛んになりました。

田中角栄は、日本中に公共事業をばらまき政治献金による巨額の政治資金を蓄えると、今度は自民党の議員たちに選挙資金としてばらまきます。多くの自民党議員が田中角栄に買収されていきました。この結果、生まれたのが自民党の最大派閥である「**田中派**」です。小沢側近の二階俊博は自民党に戻り、幹事長として安倍政権の重鎮となりました。

ロッキード事件（アメリカのロッキード社からの収賄事件。田中に対するアメリカの謀略説もあり）で刑事被告人となったあとも、田中は自民党最高実力者として歴代首相を操り、「**目白の闇将軍**」と呼ばれました。田中角栄が脳梗塞で倒れたあと、その金庫を引き継いだのが**竹下登**、竹下のあとを継ごうとしたのが、**小沢一郎**です。

1972年周恩来首相の出迎えを受ける田中角栄首相

田中、竹下、小沢は、日本国内でやってきた手法を中国にももち込みました。日本国民が支払った税金を、**ＯＤＡ（政府開発援助）**という形で中国に投資したのです。**日本列島の開発が一段落したあとは、中国の公共事業を日本のゼネコンに受注させて、儲けの一部をまた自分たちのポケットに入れるというのが狙い**です。ですから、田中派、竹下派、小沢氏の面々は日中友好を推進する立場でした。小沢一郎が何度も北京を訪問していたのも、それが理由です。小沢側近の二階俊博は自民党に戻り、幹事長として安倍政権の重鎮となりました。

１９８９年の**天安門事件**で、中国は西側諸国から経済制裁を受けましたが、真っ先に制裁を解除したのは日本でした。日中友好派の圧力が働いたことは、容易に想像がつきます。当時は宮澤内閣、最高実力者は竹下登です。

このあと、竹下と対立した小沢一郎が自民党を離党し、今の民主党につながる流れをつくります。自民党は竹下派、野党第一党は小沢派（どちらも親中派）という、中国にとってはおいしい状況が、小泉政権の成立まで続きます。

鄧小平が始めた**改革開放**によって中国は急激な経済成長を遂げますが、**これを支えたのは、総額6兆円に及ぶ日本からのＯＤＡ（政府開発援助）を中心とする海外からの莫大な投資**でした。上海の高層ビル群を建てたのも、アメリカ資本と日本の資本。本来、日本は感謝されて当然ですが、中国側の言い分は、「日本のゼネコンも政治家も儲かったのだからお互いさまだ」となるのです。

中国の反日感情の「正体」とは？

中国は改革開放政策によって市場経済に移行し、経済発展を遂げました。ところが、問題が生じます。**富の格差と汚職の問題が深刻化**したのです。

これは、世界中で起きている共通の図式です。

親中派と反日感情の成立

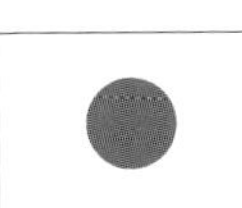

田中角栄を足がかりに日中国交回復。自民党田中派を中心とした親中派が、鄧小平の改革開放を支え日本からの莫大なODA（政府開発援助）を実施

経済発展と引き換えに格差と汚職が深刻化。共産党権力が富を生むシステムに対する民衆の怒りと不満（天安門事件など）の捌け口として反日教育

「経済自由化」は経済発展を促しますが、富の不均衡を生み、不満が各地で爆発します。中東では人々の不満がイスラム原理主義の台頭につながり、ロシアではプーチン支持の原動力となりました。

しかし、中国では共産党政権が「経済自由化」の先頭に立って、懐を肥やしているので、民衆には不満の捌け口がありません。言論の自由もありません。天安門事件では学生の反腐敗・民主化運動を戦車で圧殺したように、各地で暴動が起こっても、政権によって鎮圧されてしまいます。

そもそも**中国の人民には土地の所有権が認められていません。土地は国有であり、住民は「使用権」をもっているだけ**です。

たとえば、外国資本で都市の再開発をするとき、政府はその土地に長く住んでいる人民を立ち退かさなければなりません。私的所有権が確立している日本では補償問題で大変なことになるでしょう。しかし中国ではすべて国有地なので、政府が「出て行け」と言えば、人民は従うしかないのです。雀の涙ほどの補償金は出ますが、先祖伝来の家を壊される人民は反発したくなるのも当然です。

おまけに共産党の幹部は、外国資本から賄賂をもらって私腹を肥やすことに夢中。政府が所有していた企業を民営化する際に、共産党の幹部に安価で払い下げてしまうことも頻発しました。

強権を握る共産党の幹部が新興財閥になり、共産党の権力が富を生むシステムをつくったのです。

人民の怒りを治めるためには、「捌け口」が必要になります。そこで共産党政権が考えついたのは、怒りの矛先を外に向けること。

日本は、まんまと標的になってしまったのです。**1990年代の江沢民政権の時代に、反日教育が本格的に始まって大成功します。**

アヘン戦争以降の列強による侵略の歴史、とりわけ日本軍の残虐行為を延々と教え、最後に民族の解放者として共産党が登場する、というストーリーです。中華人民共和国成立以後の歴史は美しく描き、天安門事件については一言も触れません。

この反日教育を受けた世代は2015年現在、30代半ばから下の年代です。**彼らは、かつて日本から多額の援助を受けたことは一切教えられていません。**むしろ「日本は過去の侵略戦争を反省していない」「日本は賠償金を支払うべきだ」「尖閣諸島は日本が奪った」といった政府の喧伝を本気で信じているのです。

日本の政治家が靖国神社に参拝すると、中国は必ずバッシングしますが、毛沢東も鄧小平も、靖国参拝を問題視したことは一度もありません。

毛沢東に至っては、日本社会党の訪中団を迎えたとき、「日本軍が国民党と戦ってくれたことを感謝します」とまで発言しているのです。

中国政府が「靖国参拝はけしからん」と騒ぎ出したのは、江沢民による反日教育が行われるようになってからです。これが**反日感情の正体**なのです。

38 アジア

中国が世界の覇権を握る日は来るのか?

世界最高レベルの経済成長を謳ってきた中国。しかしその実態は共産党独裁政権によって不明瞭。軍閥が割拠してきた過去の歴史の復活も。

日本の安保法制、海外からはどう見えたか?

加速する中国の南シナ海進出について警戒しているのが、アメリカの国防・軍事を統括する**国防総省**です。**中国が力をもちすぎていることを懸念し、日本の防衛を後押ししてバランスをとろうというのが、国防総省の考え方**です。したがって、安倍政権が推し進めている集団的自衛権や憲法改正について、国防総省は大賛成です。フィリピン政府や台湾政府も賛成の立場です。

一方で、中国は当然反対の立場です。「集団的自衛権や憲法改正は、日本の軍国主義の復活だ。日本は過去の戦争をまったく反省していない」と批判しています。

しかも、中国は国内だけでなく、アメリカ国内でも批判キャンペーンを行っています。莫大な宣伝費を投じ、アメリカのメディアを通じて日本のネガティブキャンペーンをしているのです。『ニューヨーク・タイムズ』などの民主党系のメディアがこれに乗っかって、「アベは歴史修正主義者の危険人物だ」という論調の記事を掲載しています。

現在のところ、**中国に対する防波堤となっているのが日本と台湾、フィリピン、ベトナム、そしてオーストラリアといった国々**です。ただし、**オーストラリアは微妙な立場**にあります。オーストラリアもアメリカ、イギリスと似た二大政党制です。ひとつは親米派の自由党、もうひとつは親中派の労働党です。

実は、オーストラリアには中国系の移民がたくさんいます。もともとオーストラリアは白人人口が少ないので、政治家は移民票の存在を無視できないのです。選挙をすれば、中国からの移民たちは、こぞって労働党の候補に投票します。労働党のラッド首相は北京語を話す親中派でした。自由党政権でも中国ビジネスにのめり込んだ財界の意向で親中派になるケースもあり、いずれまたオーストラリアは労働党政権に戻るでしょうから、軍事情報をどこまで共有できるか、慎重な見極めが必要です。

中国が世界の覇権を握る日はくるか?

ゆっくり衰退するアメリカに代わって中国が世界の覇権を握る日は来るのか。

答えは「わからない」です。**中国は、実は「張り子の虎」ではないかという疑惑**があるからです。たとえば、GDPや輸出額といった各国政府が発表している統計数字は、まっとうな民主国家であれば、二重、三重にチェックを受けますから信用できますが、中国の場合は共産党の独裁政権なので、第三者機関というものがありません。メディアもすべて国営、もしくは国の監視下にあるので、都合の悪い情報は流しません。

ということは、**中国政府が発表している経済成長率などの経済指標が本当なのか、疑惑の目で見ざるを得ない**のです。

中国は、長い間、年間8%の成長率を目標にし、それを達成し続けてきました。年間8%の成長をしていれば、貧困層にも富が行き渡って、暴動発生を抑止することができるからです。となると、「年8%の経済成長」は絶対達成しなければならないノルマとなり、北

全人代会期中、政府の腐敗を訴えようとして警察官に拘束される女性

京から全国の地方共産党の幹部に指令が飛びます。このノルマを達成できないと出世に関わるので、各地の地方幹部は必死になって実績をつくろうとします。すると、どういうことが起きるか。

第三者がチェックしているわけではないので、実際は6%の成長でも、8%達成したと数字をごまかす地方幹部があらわれます。**でたらめな数字が、全国から上がってきて「8%の成長率を実現」している可能性がある**のです。これは、かつてのソ連でも起きたことです。モスクワのソ連共産党本部が把握している数字は、まったくのでたらめでした。

張り子の虎の中国

- 経済成長率の数字も共産党独裁政権下では公正なチェック機能が働かない
- 年間8%の成長率ノルマを達成するためにデタラメな数字が地方幹部から積み上げられている?
- 貧富の格差拡大で滅んだ唐の末期の再来?

実際、こんな話が公になっています。習近平政権のナンバー2である**李克強首相**が、旧満州の遼寧省のトップだったとき、中国駐在のアメリカ大使に驚くべき発言をしました。「私は、わが国の政府が発表する数字は一切信用していません。私が信用しているのは、電力消費、鉄道貨物量、銀行融資額の3つです」。その発言に驚いたアメリカ大使は本国に打電したのですが、その内容がウィキリークスによって公開されたのです。アメリカでは、もともと中国の発表する数字は疑わしいとみる専門家がいたのですが、それが裏づけられる格好となりました。

李克強が首相になってからは、多少正直に数字を発表するようになって、2014年のGDP成長率は前年比7・3%と24年ぶりの低水準となりました。しかしこの数字も「公式発表」ですから怪しく、鉄道貨物量などから考えると4%ほどではないか、いや貿易額から見れば、マイナス成長ではないか、とみる向きもあります。

中国・北京にある中国人民銀行

もしこれが本当なら、全国で暴動が発生するレベル。実際、年間20万件の暴動が発生しています。**中国共産党幹部がさかんに海外へ資産を移し、子供たちを留学させているのは、自国の将来に不安を感じているから**でしょう。

歴史的に見れば、現在の中国の状況は、唐の末期と似ています。

唐という国は**均田制（土地国有制）**を採用していました。わかりやすくいうと、唐は社会主義の国で、計画経済を敷いていたのです。

しかし、結果的に均田制は失敗に終わります。唐の末期になると民営化し、土地の私有を認めました。その結果、大土地所有制が広まる一方、大量の失地農民が生まれました。ものすごい貧富の格差です。鄧小平以後の中国と同じですね。

唐の政府は財政破たんしていたので重税を課すのですが、当然のごとく農民の暴動が起こります。すると、治安を守るために軍が力をもつようになり、やがて軍人たちが各地に割拠して、藩鎮と呼ばれる軍閥政権をつくります。唐が滅んだあとの約50年間、中国は「**五代十国**」と呼ばれる軍閥割拠の状態が続くこととなったのです。

現在の中国も、これと同じ道をたどっているように見えます。今の共産党政権が崩壊したあとのシナリオとして一番あり得るのは、軍閥が各地方で割拠する軍閥政権というイメージです。

39 アジア

なぜ中国にゴーストタウンが増え続けるのか？

経済成長を偽装してきた中国では、公共事業のノルマ達成のために建設され誰も住まない「鬼城」ゴーストタウンが各地に。

なぜ中国にはゴーストタウンが増え続けるのか？

貧富の差を抱えながらも、中国はアメリカをはじめとする外国企業の投資によって、急速に経済成長を遂げていきます。しかし、２００８年、外国からの投資が突然止まってしまう事件が起こりました。そう、「**リーマンショック**」です。**アメリカの大手投資銀行であるリーマン・ブラザーズが破綻し、世界的な金融危機が発生**しました。

リーマンショックによってアメリカの金融資本は「心臓発作」を起こしました。自分たちが生き残るので精一杯ですから、海外投資などしている場合ではありません。困るのは、ウォール街の投資資金で経済がまわっていたBRICSの国々です。

リーマンショックを機に、高成長を遂げていた新興国の経済にブレーキがかかりました。リオ五輪景気が終わったブラジル経済は、外資引き揚げが追い打ちをかけて大混乱に陥ります。中国も例外ではありません。海外からの投資がピタリと止まってしまい、政府は慌てます。なぜ中国政府が困るかというと、「毎年８％のGDP経済成長率を維持する」と人民に約束していたからです。去年より今年、今年より来年と、毎年必ず国民の生活は豊かになっていくのだ、と。

しかし、リーマンショックによって中国市場への投資が激減。年８％の経済成長が維持できなくなったのです。**焦った中国政府は、公共事業で国内経済をまわすことを決定**します。北京の中央政府から地方組織に、「８％の成長率を必ず維持しろ」とノルマが課されることになりました。党中央の命令は絶対です。地方政府は税金をバンバン使って高級マンションや道路をつくり始めます。公共事業はGDPの数値に反映されますから、政府は体面を保つことができました。

ところが、あとが大変です。ノルマ達成のための公共事業ですから、需要があるかどうかは関係ないのです。車が走っていない道路や、誰も住んでいないニュータウン……。使われない施設が全国にたくさんできてしまった。**中国では、ゴーストタウンのことを「鬼城」といいますが、人が住んでいる気配のない高層マンションは、鬼（幽霊）の城にふさわしい不気味さを漂わせています**。

それまで中国経済は輸出で稼いできましたが、リーマンショックによって購買力を失ったアメリカやヨーロッパの市場で中国製品が売れなくなり、輸出産業も低迷することに……。そうなれば当然、輸出で潤ってきた国内企業から入ってくる税金も目減りしていきます。無駄な公共事業と輸出低迷のダブルパンチ。中国は国も地方も借金の山を抱える結果となってしまったのです。

すると、何が起こるか。中国政府の信用低下を招く結果となりました。財政と経済の信用を失っ

モンゴル自治区オルドス市のカンバシ新区。ほとんどが空室のままでゴーストタウン化が進む

た中国では、２０１６年、株式の大暴落が起こりました。1カ月間に上海証券取引所のA株の時価総額は3分の1に下落します。あわてた中国政府は、突然マーケットを閉めたり、多額の株式を売った資本家を逮捕したりするなど、迷走。結局、**国家権力は経済成長を偽装することはできても、市場経済を統制することはできなかった**のです。

世界中で「爆買い」が突然止まった理由とは？

中国の財政に対する信用が損なわれれば、当然、中国政府が発行する通貨の信用も失墜します。「人民元は信用できない」と危機感をもった人たちは、**手持ちの人民元を、アメリカドルや日本円といった信用できる外貨に換え始めました。**

たとえば、日本に旅行にやってきた中国人観光客は、当然、人民元を売って日本円に両替します。そして、高価な日本製品を大量に買い込んで、中国にもって帰る。いわゆる「爆買い」です。**人民元でもっていても価値が下がるばかりだから、モノに換えてしまったほうがいいという発想**なのです。

さらにお金持ちの中国人は、息子や娘を海外に留学させています。アメリカの学校に留学させることになれば、授業料や生活費を払うために、人民元をドルに替えることになります。**現金よりは、子どもに投資したほうがマシ**というわけです。

爆買いにしても留学にしても、率先しているのは中国共産党の幹部。

彼らは、自分の資産を外貨に替えたり、外貨預金をしたりして、人民元暴落の危機をうまく切り抜けようとしています。

人民元を外貨に替える人が増えれば、ますます人民元の価値は下がります。人民元を外貨に両替する動きが止まらないことに気づいた習近平政権は、あわてて規制を始めました。まず、「爆買いをやめさせろ」と政府から指令が下ります。これ以上、人民元を流出させてはいけない、というわけです。

これが、世界中で中国人の「爆買い」が突然止まった原因です。次に政府は**外貨への両替の制限**も実施します。「年間５００万ドル（約5億円）以上の両替はできない」とのお達しが下されました。これは中国人だけでなく、外国企業も対象です。中国の工場で生産している外国企業は、中国で稼いだ利益を人民元から米ドルや日本円に替えて送金しようと思っても、５００万ドル以上は送れない。つまり、**人民元とドル、あるいは人民元と日本円の交換を一部停止させた**のです。

そのほかにも、中国の中央銀行（中国人民銀行）は、外貨を売って人民元を買うという行為を繰り返しています。暴落を防ぐために人民元を買い支えているのです。これは、通貨危機に見舞われた国で必ず行われる常套手段で、かつて韓国やタイなどでも実施されています。

中国人民銀行は、米ドルや日本円といった現金だけでなく、アメリカや日本の国債などを片っ端から売っています。その結果、米国債が大量に市場に出回り、価格が下がるといった影響も出ています。

政府や中央銀行が所有している外貨や対外資産の合計を「**外貨準備高**」といいます。日本の外貨準備高は約1・2兆ドル（２０１７年）であるのに対して、中国の場合は、ピーク時に4兆ドルに達していました。しかし、中国が外貨や外国債を売り始めてから、3兆ドルまで外貨準備高は激減しました。たった1年ほどで、日本の外貨準備高に匹敵する額が減ってしまったのですから、大変な事態です。それほど中国政府は切羽詰まっているのです。

中国の爆買いが消えた理由

- 無駄な公共事業と輸出低迷による中国政府の信用低下
- 人民元への危機感から外貨への移し替え加速。さらに人民元価値低下
- 習近平政権が外貨両替制限。電子商取引規制も強化。人民元流出を食い止め

86ページの写真 ⓒ共同通信社

40 アジア

一帯一路は何を目指しているのか？

一帯一路構想を資金面で支える「アジアインフラ投資銀行（AIIB）」への注目度も低下。一帯一路構想の先行きは不明瞭。

「一帯一路」は何をめざしているか？

一時期、中国に関するニュースで「一帯一路（いったいいちろ）」という言葉をよく見聞きしました。「一帯一路」とは、2013年に習近平が提唱した**中国と欧州を結ぶ巨大な広域経済圏構想**のことで、「**新シルクロード構想**」とも呼ばれています。

中国から中央アジアを経由して欧州に続く陸路を「一帯」、南シナ海からインド洋を通り欧州へ向かう海路を「一路」とし、鉄道や港湾などのインフラ投資を通して約70カ国にのぼる沿線の国々を親中国圏とするのが目的です。

ＡＩＩＢ本部ビル・アジア金融ビル

ところが、その一帯一路構想に暗雲がたちこめています。人民元の下落が暗い影を落としているからです。通貨が安くなれば輸出には有利にはたらきますが、逆に海外投資には不利になります。つまり、習近平の肝いりで始まった**一帯一路構想に投資をしたくても、中国の銀行は十分な資金を工面できないという事態**に陥っているのです。

中国政府は一帯一路構想を資金面で支えるため、2015年に「**アジアインフラ投資銀行**」（**ＡＩＩＢ**）という中国主導の国際金融機関を創設しました。他の先進国を巻き込んで、インフラ整備の資金を引き出そうというわけです。設立当初は中国経済が絶好調だったので、ビジネスチャンスを逃したくないイギリスやドイツなどヨーロッパの主要国がこぞって参加、2017年7月現在で80カ国を超えました。

ところが、2016年に中国バブルがはじけると、急激に失速。投資資金もほとんど集まらず、開店休業状態です。中国自体が資金不足のうえに、他国からも資金を引き出せない状態ですから、一帯一路構想は完全に暗礁に乗り上げているといってもいいでしょう。

習近平国家主席とギリシャのミツォタキス首相がピレウス港事業を視察

ちなみに、アメリカと日本はＡＩＩＢには参加していません。アメリカが主導する世界銀行や日本が主導するアジア開発銀行（本部はマニラ、総裁は日本人）があるからです。ＡＩＩＢの設立当初、例によって「バスに乗り遅れるな！」「日米だけが孤立する」と煽ったメディアもありましたが、結果的に、乗らなくて正解でした。中国主導の「泥船」に乗り込んでいたら、一緒に沈没するところだったでしょう。

投資をしたくても資金がない……。そんな状況に追い込まれた習近平は、どう動くでしょうか。彼の立場になって考えれば、打開策はひとつしかありません。**中国に投資資金が入ってくるように、今まで以上にグローバリズム路線を突っ走る**ことです。国境を開き、投資を促進する。常に過剰人口を抱える中国は、国境を開いても移民が流入してくる恐れはありません。

習近平政権は、アメリカ大統領選で民主党のヒラリー・クリントンを応援していましたし、ヨーロッパでは「反ＥＵ、反グローバリズム」が勢いを増さないよう、ドイツのメルケル政権を応援しています。逆に、反グローバリズムのプーチンを

中国の「一帯一路」構想

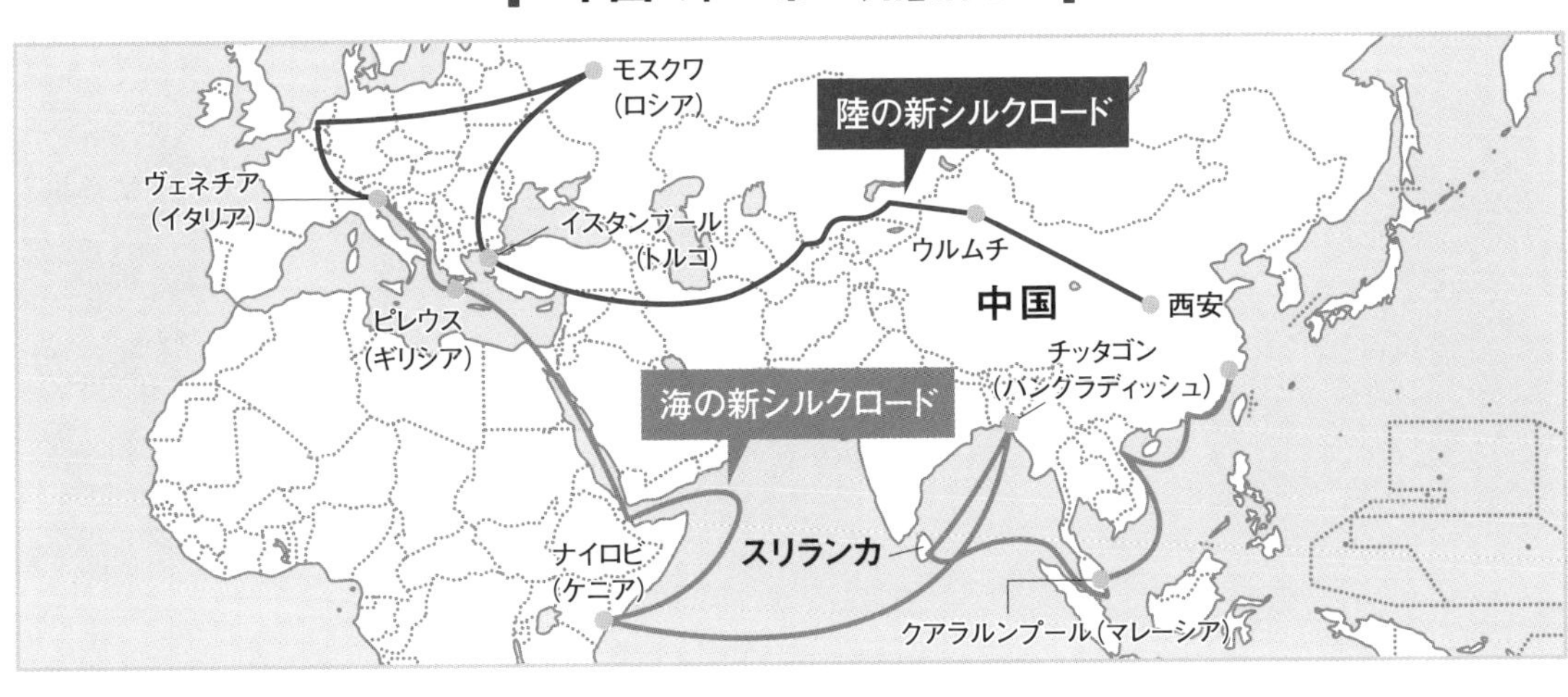

警戒しています。もともと共産主義だった中国が、今やアメリカに代わるグローバリズムの旗振り役なのですから、不思議な話です。

習近平は、なぜ日本に強気に出るのか？

尖閣諸島の領土問題を抱える日中関係は、冷え込んだ状態が続いています。習近平は、国際会議で安倍首相と握手をしても仏頂面、笑顔ひとつ見せません。なぜ、習近平は日本に対して強気なのでしょうか。

実は日中関係にも、中国経済の減速が暗い影を落としています。**景気が悪化している中国では当然、国民の不満は高まります。しかし、共産党政権下の中国では、国民は不満を選挙にぶつけることができません。**まったく報道されませんが、地方ではデモや暴動が常態化しています。

それを防ぐためには、政府は力で押さえ込むしか方法がない。具体的には、**中国人民解放軍**と治安機関に頼ることです。軍と治安機関は強硬派ですから、日本に甘い顔をすると政府を突き上げます。こうなると、習近平は虚勢を張って、日本叩きをするしかありません。領土問題で強気に出るのは、軍と治安機関を掌握するためなのです。

しかし、習近平政権が日本に対して強硬姿勢を貫くほど、日本企業は中国市場から逃げ、中国経済は勢いを失っていく。日本では親中派の政治家が嫌われる。そんな悪循環がずっと続いています。

日中関係がうまくいっていないのは、安倍首相と習近平、2人のキャラクターによるところも大きいと思います。第二次大戦後、中国にとって、日本は使い勝手のよい存在でした。日本が中国に軍事的な脅威を与えることはありませんし、「中国を侵略した過去を反省しろ」と強気に出れば、すぐに謝る。お金をもっているので、投資を引き出すことも簡単です。**日本政府の対中ODA（政府開発援助）の合計は6兆円。中国にとって日本は、一種のATM（現金自動預け払い機）だった**のです。

ところが、第二次安倍政権が誕生してから風向きが変わります。安倍首相は、頭を下げることをしません。北京を一度も訪問していません。中国に対しては強硬姿勢を貫いているのです。安倍政権が続くと不都合な中国は、尖閣諸島問題などで揺さぶりをかけてきますが、たたけばたたくほど日本人は安倍政権を支持し、長期政権につながっていきます。安倍たたきがすべて裏目に出てしまった今、習近平は日本に対してはお手上げ状態でしょう。

これがもしも、改革開放を主導した鄧小平だったら、尖閣諸島からはいったん手を引いて、日本と和解。その代わり、「中国に投資してくださいよ」と駆け引きをして、苦しい状況をうまく乗り切ったでしょう。老獪で、本心を見せなかった鄧小平と比べると、習近平は硬直した対応しかできません。ある意味、わかりやすい相手であるともいえます。

88ページの写真（上）ⓒ新華社／共同通信イメージズ、（下）ⓒ共同通信社

41 アジア

なぜ中国はさらに領土を広げたいのか？

最も膨張した清朝時代の領土を根拠に領土拡大を正当化。海洋資源やシーレーン、潜水艦活動目的でも南シナ海の領有権を主張。

なぜ中国は領土を広げようとするのか？

現在、中国は次の4つの地域で領土問題を抱えています。

「インド国境」「南シナ海」「尖閣諸島」「北朝鮮国境」です。

中印は2カ所で領土紛争を抱えています。一つはヒマラヤ山脈の南斜面、**ブータン王国**の東側に広がるアルナーチャル・プラデーシュ州。もう一つは、中国とインドおよびパキスタンの国境が交差する**カシミール地方**のアクサイチン。この両地域をめぐって、中国とインドの間で国境紛争が繰り返し勃発してきました。

事の発端は1962年に起きた**中印国境紛争**です。もともと両地域は、ほとんどがヒマラヤ山脈の高山地帯ということもあり、国境線があいまいになっていました。ところが、領有権を主張する中国がインド側に侵攻、大規模な武力衝突に発展しました。当時はキューバ危機の最中、世界の関心が薄れている間に中国は勝利を収め、両地域を一時、実効支配することに成功します。しかし、その後も両国の対立は残り、国境線をめぐる綱引きを繰り返しています。

インドはヒマラヤ山脈の尾根が国境線だと主張し、一方の中国は山麓までが中国領だと主張しています。

中国はたびたび軍を侵攻させてきましたが、尾根の向こう側で軍隊を維持することは不可能なので、しばらくすると軍隊を引き揚げざるを得ません。中国は「攻めては引く」を繰り返しているだけで、**現在、両地域についてはインドが実効支配している状態**です。

それにしても、なぜ中国は高山地帯の国境にこだわるのでしょうか。中国の言い分は、**「現在の中華人民共和国はかつての清王朝の領土を継承した。当時は山の麓までが清の領土だったから、そこは中国の領土だ」**というわけです。

これは、チベットやウイグルなどの自治区と同じ理屈です。チベットやウイグルは**清朝**（1636〜1912年）の領土だったから、中国のものだと主張しています。もともと中国やロシアのような大陸国家は、日本のような国境線がはっきりした島国と違って、国力が強いときは膨張し、弱いときは縮小します。そのため、**国の領土が最も拡大した国境線を根拠とする傾向があります。**

そして周辺諸国も同じように領土的野心を抱いていると考えるので、隣国との緩衝地帯としてできるだけ領土を広げていきたい、と考えます。中国は、最も膨張した清朝時代の領土を根拠に、膨張を正当化しているのです。

なぜ中国はこれほど南シナ海にこだわるか？

中国は、南シナ海でも領土紛争を起こしています。中国は南シナ海の領有権を一方的に主張し、同じく領有権を主張するベトナムやフィリピン、マレーシアなどの国々と対立する中、人工島を次々と造成、3000メートルに及ぶ滑走路やレーダー施設を建設するなど軍事的な動きを加速させています。もともとは水面にちょっとだけ顔を出しているような岩礁を、大量の砂とコンクリートで埋め立てて、軍事拠点化しているのです。**岩礁が人の住める「島」になれば、その周囲に領海やEEZ（排他的経済水域）を設定できる、という強引な論法です。**

それに対して、アメリカは「南シナ海は公海だ」と主張し、中国の動きに反対する姿勢を示しています。ちなみに、南シナ海は、歴史的に中国の領土だったことはありません。清朝は海軍をもっていませんでした。

　では、何を根拠にしているのか。**根拠は、明王朝の記録に島の名前が記載されていたから**、というものです。認識していたかどうかと、領土だったかどうかは別問題ですので、まったく説明になっていません。なぜ中国は南シナ海で強硬な姿勢を崩さないのでしょうか。目的は3つ**「海洋資源」「シーレーンの確保」「潜水艦の活動海域の確保」**です。

　南シナ海には、大量の石油や天然ガスの海洋資源が眠っています。**中国の弱点は、天然資源を輸入に頼っていることです。自給できるのは、質の悪い石炭ばかり**。冬になると、その石炭を大量に使用するので、もくもくと煙が上がり、PM2・5となって中国国内はおろか、日本をも汚染しています。

　もし中国が南シナ海で良質な天然資源を確保できるようになれば、エネルギーにおける安全保障と独立性を獲得することができます。だからこそ中国は、南シナ海を喉から手が出るほど欲しているのです。

　海上輸送ルートとなるシーレーン確保も重要。南シナ海は海上交易の要衝です。日本と同様、中国が輸入する石油の大半は、中東から南シナ海を通って輸送されますから、この地域を実効支配できれば、大きなメリットを手にすることができます。

　なかでも**マレー半島とスマトラ島を隔てる「マラッカ海峡」こそ、大型貨物船が行き交う海上交通の要衝**。現在、マラッカ海峡は、日本の横須賀基地を拠点とするアメリカの**第七艦隊**が掌握しています。ここを中国海軍が押さえることができれば、安全保障上のメリットは計り知れません。アメリカと戦争になったとき、マラッカ海峡を押さえられて中国の石油輸入が妨害される心配もなくなります。

　逆をいえば、いま中国がアメリカと戦争をすれば、西太平洋とインド洋を守備範囲にしている第七艦隊に石油輸送を止められ、中国はろくに戦うことができません。

　万一、米中戦争が勃発すれば、最終的には、弾道ミサイルの撃ち合いになります。その場合、中国の地上から発射されるミサイルは、たえず米軍の偵察衛星が監視していますから、発射する前に破壊されてしまいます。

　しかし、唯一、米軍の監視衛星から逃れる方法があります。それは、**ミサイル搭載の潜水艦を水中深くに潜伏させること**。深くに潜った潜水艦は、監視衛星や偵察機でとらえることができません。発見するには、水中でスクリュー音を頼りに探索するしかありません。

　東シナ海は水深が浅いので比較的容易にキャッチされてしまいますが、南シナ海に潜ってしまえば、探査不可能です。

　南シナ海の北部、海南島には、中国の潜水艦の基地がたくさんつくられています。南シナ海に潜水艦を潜伏させて、「ニューヨークに向けてミサイルを射つぞ」と脅せば、アメリカはうかつに手を出せません。そこで潜水艦の活動海域の確保も狙うわけです。

中国が抱える4つの領土問題

中国による南シナ海の南沙諸島の埋め立てが進む

第4章　アジア

91ページの写真　©ゲッティ／共同通信イメージズ

42 アジア

北朝鮮が中国のいいなりにならないのはなぜ？

歴史的にも地続きの中国に対する脅威を感じる朝鮮民族。北朝鮮は東北部の朝鮮民族の独立を警戒する中国の思惑も利用する。

北朝鮮は、なぜ中国の言いなりにならないのか？

2017年4月、**北朝鮮の核・ミサイル開発**をめぐり、アメリカが空母「カール・ヴィンソン」、「ロナルド・レーガン」、「ニミッツ」を相次いで朝鮮半島近海に派遣。9月には北朝鮮がグアム島に届く**大陸間弾道ミサイル**「火星12号」の発射実験と水爆実験に成功するなど、「第二次朝鮮戦争」の勃発が懸念される事態に至りました。

一方で、アメリカのトランプ大統領は中国の習近平国家主席と会談し、アメリカが北朝鮮に対して具体的な行動をとるまでの猶予期間として「100日間」を設定、中国に北朝鮮への圧力を強めるよう要求。猶予期間を過ぎると、**北と取引のある中国の銀行に対する金融制裁**に動き始めました。

「中国は、北朝鮮の暴走を止められるのか」、世界の注目を浴びています。現在進行中の北朝鮮のニュースを読み解くには、まず中国と北朝鮮の歴史的な関係を押さえておく必要があるでしょう。

まずは中国大陸の全体像を俯瞰してみましょう。歴史的にいえば、いわゆる「**中国人**」（**漢民族**）**とは、万里の長城より南に住んでいた人たちのことを指します。**万里の長城より北側には、もともと満州人とモンゴル人がいて、朝鮮半島には朝鮮人が住んでいました。満州人とモンゴル人と朝鮮人。同じ北方アジア系の民族で、使用している言葉も似ています。朝鮮人は中国人とは民族が異なり、言葉も通じません。

17世紀になると、満州人が建国した清朝がモンゴルをのみ込み、ついには万里の長城を突破し、中国を統一しました。ですから、清朝の皇帝とは中国人ではなく、満州人です。清は広大な版図を誇り、チベットを保護領にするなどして、今日の中国領土の原形をつくりあげました。

1912年には、孫文による**辛亥革命**（しんがい）を経て、**中華民国が成立。清朝による支配に終止符が打たれました。中華民国は漢民族、すなわち中国人による政権**です。

中華民国が成立すると、今度は万里の長城を越えて、モンゴルや満州に侵攻。**「元・清朝の領土は中華民国のものだ」という理屈のもと、チベットやウイグルに対する領有権の主張**が始まりました。そして、第二次大戦後、1949年に現在の中華人民共和国が成立。満州とモンゴルの南側（内モンゴル）、チベットを押さえ込みます。ただ、北の外モンゴルを領土とすることはできませんでした。ちなみに、**「満州」という地名は中国ではタブーで、「中国東北地方」と表現**されます。**中国はもともと異民族である満州人の独立運動を恐れているからです。**実質、日本軍が建てた満州国については、「偽満州国」と書きます。日本の教科書にも影響が及んでいて、「満州」ではなく、「東北」という言葉を使いたがります。存在をなかったことにしようという話ですから、満州人に失礼です。

漢民族は、満州やモンゴルといった北方アジア系の民族をのみ込み、今の中国をつくりあげました。こうした歴史を振り返ってみると、**モンゴルや満州の先にある朝鮮も同じように中国にのみ込まれる可能性は十分にある**ということです。歴史的に見て、朝鮮民族にとって最大の脅威は地続きの中国であり、このことが現在の中朝関係にも影響を与えているのです。

中国は北朝鮮の友好国なのか？

では、現在の中国と北朝鮮の関係性はどうなっているのでしょうか。中国と北朝鮮は同じ共産主義であり、朝鮮戦争のときには中国は北朝鮮に加勢し、韓国やアメリカとも一戦交えました。近年も中国は北朝鮮にパイプラインで原油を供給しています。

また、**中国にとって北朝鮮は、在韓米軍から身を守る緩衝地帯の役割**を果たしています。こうした関係性から、中国と北朝鮮は「仲がよい」というイメージをもつ人もいますが、現実はそう単純ではありません。

中国と北朝鮮の国境は、鴨緑江という川で隔てられています。かなり水深の浅い川なので、夏は簡単に渡ることができますし、冬には川面が凍るので歩いて渡れます。比較的、自由に越えることができる国境なのです。そのため、朝鮮人は新天地を求めて、続々と満州に移住してきました。

延辺朝鮮族自治州

朝鮮民族は南北朝鮮だけでなく、中朝国境の北側にも住んでおり、その数は数百万人に達するといわれています。彼らはキムチや焼肉を食べ、朝鮮語を話します。**中国ではこの朝鮮人居住区を「延辺（えんぺん）朝鮮族自治州」と呼んでいます。**

現在は国が割れていますが、**朝鮮民族は「朝鮮統一の夢」を抱いています。それは南北朝鮮統一だけではありません。満州の延辺朝鮮族自治州も加えたもの**です。

ただ、仮にこれが実現するようなことがあれば、他の北方アジア系の民族が黙ってはいないでしょう。「朝鮮人が自分の国をつくったのなら、オレたちも」と満州人やモンゴル人（内モンゴル）も声を上げる。そうなったら、中華人民共和国は崩壊します。だから中国は、絶対に朝鮮の統一国家は認めません。

朝鮮統一は中国にとって「時限爆弾」ですから、今のように分断されたままのほうが都合がいいのです。こうした状況からいえるのは、中国にとって朝鮮は、基本的に「敵」だということです。中国が、北朝鮮を経済的に支援していることから、友好関係にあるように見えますが、実際のところ、中国は北朝鮮を敵視しています。**経済支援をしているのも、北朝鮮の政権が自然崩壊し、朝鮮半島が統一されたら困るから**です。

中国と北朝鮮が友好関係にあるなら、現在のように北朝鮮が核兵器やミサイルの開発に躍起になっている状況を説明できないでしょう。核保有国の中国が本当に北朝鮮を守ってくれるなら、北朝鮮は核開発を急ぐ必要はありませんよね。北朝鮮から見ても、中国はいざというとき助けてくれないだろうと確信しているのです。

なぜ朝鮮半島はこれまで独立を維持できたのか?

朝鮮人は、中国のことをどう思っているのでしょうか。**歴史的にいえば、朝鮮は約2000年前の漢の時代から何十回も中華帝国に攻め込まれてきた過去**があります。

漢の時代は、朝鮮半島北部まで植民地になり、「**楽浪郡**（らくろうぐん）」という行政機関が置かれていました。そうした苦い記憶があるので、朝鮮人にとってのいちばんの脅威は、いつの時代も中国です。しかも朝鮮人は少数民族。中国とまともに戦っても勝てる見込みはありません。

近代に入ると朝鮮はロシアと日本と友好関係を結び、戦後はアメリカやソ連の支援を受けて、中国の脅威に対抗してきました。朝鮮半島は地政学的にも大国に囲まれた小さな国ですから、必ず強い国と手を組み、生き延びてきたのです。常に強者の側について安全を確保する。この朝鮮独特の生き残り戦術を「**事大主義**（じだいしゅぎ）」といいます。**「事」は「つかえる」。「大国につかえるふり」をして生き残るのです。**

43 アジア

なぜ北朝鮮はミサイル開発をやめないのか？

中国やロシアの属国にもならず自立を続けるため「主体思想（チュチェ）」を強化。金正恩の地位を脅かす存在を粛清しミサイル開発も続ける。

なぜ北朝鮮はミサイル開発をやめないのか？

韓国で親北朝鮮派の**文在寅（ムンジェイン）政権**が誕生した一方で、北朝鮮は**金正恩（キムジョンウン）**が核・ミサイル開発によって周辺国を威嚇し、暴走しています。トランプ大統領の要請で、これまで経済支援を続けてきた中国が北朝鮮に圧力を強めているともいわれていますが、核・ミサイル開発は止められていません。なぜ、北朝鮮はどの国のいうことにも、耳を貸さないのでしょうか。歴史を振り返ってみましょう。

北朝鮮は朝鮮戦争の後、独自路線を歩み始めます。朝鮮戦争では、中国の援軍を得て韓国軍・米軍の連合軍と戦いましたが、北朝鮮は中国軍の駐留を拒否しました。もともと中国からは何度も攻め込まれた歴史があり、ソ連の属国になるつもりもない。**北朝鮮は、ソ連や中国とは違った社会主義として、独自路線をとり始めます。**

北朝鮮を建国した**金日成（キムジョンイル）**は、政治の自主、経済の自立、国防の自衛を強調し、**朝鮮民族が主体的に生きるためには、首領の指導が必要だとしました。**これを「**主体思想（チュチェ）**」といいます。要は、事大主義を捨てたわけです。ところが主体思想の実際の中身は「首領様を無条件で崇拝しなさい」という個人崇拝の強制だったのです。こうして金一族による支配体制が確立されていったのです。

その後、**冷戦終結でソ連は崩壊、中国は市場経済に移行し、実質、共産主義を放棄しました。**ところが、**北朝鮮は独自路線を貫くことによって、いまだに「共産主義」を続けています。**中国やロシアといった旧共産主義国の影響力が及ばず、北朝鮮が傍若無人な振る舞いを続けているのは、北朝鮮の歴史や独自の思想が関係しているのです。

金正男が暗殺されたのはなぜか？

2017年2月、マレーシアのクアラルンプール国際空港で、金正日の長男であり、金正恩の異母兄である**金正男（キムジョンナム）**が、神経性のVXガスで暗殺されました。衝撃的な事件の背景には、何があったのでしょうか。

現在の北朝鮮のトップである金正恩は、祖父や父と同じ「民族派」です。したがって、中国に対して強い敵対意識をもっています。中国の制止を無視して核・ミサイル開発を続けているのもそのためです。一方、中国にとっても北朝鮮は「敵」です。かつて朝鮮戦争では助けてやったのに、恩義も感じず勝手な振る舞いを続ける金正恩を亡き者にしたいというのが本音でしょう。

とはいえ、中国が直接攻め込んで政権を滅ぼせば、北朝鮮の国民に恨まれます。そこで**中国は、政権トップの首をすげ替えて、金正恩に代わる傀儡（かいらい）政権をつくり、間接統治をするのがベストだと考えている**のです。

実際に間接統治を成功させるには、北朝鮮の国民が認める指導者でなければ成立しません。北朝鮮の国民にとって、三代にわたって君臨してきた金一族は王族のような存在。金一族の誰かに、傀儡政権のトップに座ってもらうのが、具合がいいのです。そこで白羽の矢が立ったのが、金正恩の異母兄である金正男。

父の金正日は末弟の正恩を可愛がり、兄の正

短距離ミサイルの発射を視察する北朝鮮の金正恩朝鮮労働党委員長

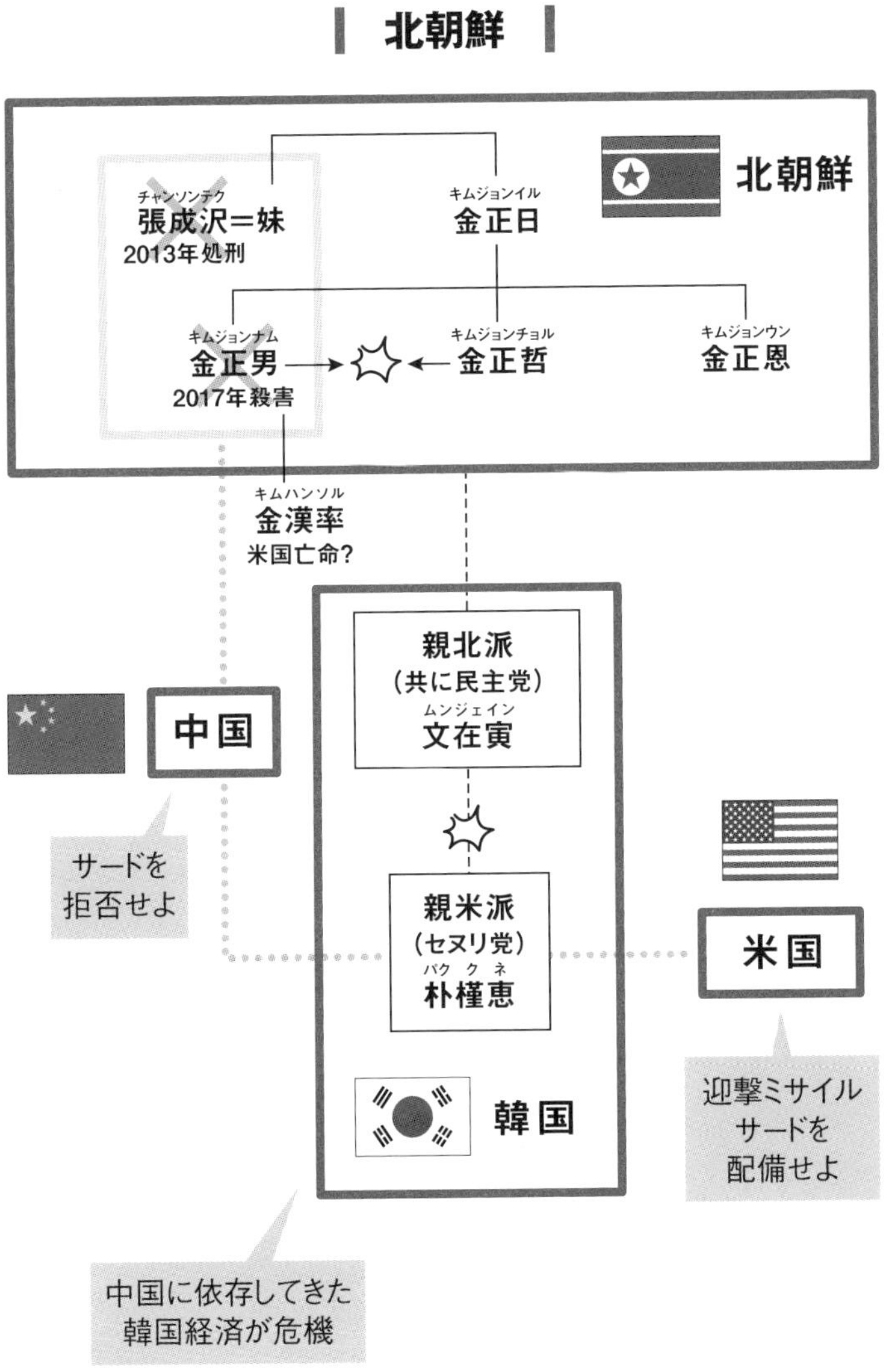

北朝鮮

北朝鮮
張成沢（チャンソンテク）＝妹
2013年処刑
金正日（キムジョンイル）
金正男（キムジョンナム）
2017年殺害
金正哲（キムジョンチョル）
金正恩（キムジョンウン）
金漢率（キムハンソル）
米国亡命？
親北派
（共に民主党）
文在寅（ムンジェイン）
親米派
（セヌリ党）
朴槿恵（パククネ）
韓国
中国
サードを拒否せよ
米国
迎撃ミサイルサードを配備せよ
中国に依存してきた韓国経済が危機

男は勘当してしまいました。命の危険を感じた金正男は、中国のマカオで亡命生活を送っていました。つまり、正男のバックには中国がついていたのです。もう一人、次男の金正哲という人がいますが、まったく表に出てきません。実は、北朝鮮の政権内部にも正男を支援している人物がいました。当時、政権のナンバー2だった**張成沢**（チャンソンテク）です。彼は金正日の妹の夫ですから、正男、正恩兄弟にとっては叔父にあたります。

もともと**張成沢は経済官僚出身なので、「統制経済では国はもたない。中国のように市場経済に移行すべきだ」という持論**をもっていました。なのに、金正恩は聞く耳をもたない。そこで、彼を辞めさせて、金正男をトップにしようと企んでいたのです。

しかし2013年、この陰謀が金正恩に気づかれます。怒り狂った金正恩は、叔父である張成沢と、その親族全員を捕まえて、反逆罪で公開処刑します。金正恩が叔父らを「裏切り者」と断じ、残酷な方法で粛清したことで話題になりました。そのとき、金正男は中国の保護のもと、マカオに滞在していたので無事でした。しかし、この事件を機に、正男は、金正恩の地位を脅かす存在として命を狙われるようになったのです。

北朝鮮で粛清の嵐が吹き荒れている頃、**アメリカと中国が金正恩排除で手を組むことを決めたという情報**もあります。金正恩は急ピッチでミサイル開発を進め、その性能もアメリカ本土に届くほどにアップしていました。

「このまま金正恩を放っておいたら危険だ」

そうアメリカも判断したわけです。金正恩を殺害し、すぐにマカオの金正男を傀儡政権のトップに担ぎ上げる、あるいは金正男を韓国に亡命させて韓国に北朝鮮亡命政府をつくらせる、といったプランをアメリカ政府が承認したともいわれています。

亡命政府からの要請ということであれば、米軍も堂々と北朝鮮に攻め込むことができます。中国にとっても金正恩政権を倒し、金正男の傀儡政権が誕生すれば、願ったりかなったりです。

こうしたプランが、ひそかに進んでいたのを金正恩が察知し「どんな手を使ってもいいから正男を殺せ」と指令が下った。そこに無防備な金正男がふらりとあらわれて殺害された。これが金正男殺害事件の真相ではないかと推測します。

94ページの写真 ©コリアメディア提供・共同

■著者略歴

茂木　誠（もぎ・まこと）

駿台予備学校、ネット配信のN予備校で大学入試世界史を担当。iPadを駆使した独自の視覚的授業が好評を得ている。受験参考書のほか一般向けの著書に、『世界史で学べ！地政学』（祥伝社）、『ニュースの"なぜ？"は世界史に学べ』シリーズ（SB新書）、『世界史につなげて学べ超日本史』（KADOKAWA）、『日本人が知るべき東アジアの地政学』（悟空出版）、『戦争と平和の世界史』（TAC出版）など多数。YouTube「もぎせかチャンネル」で、歴史と時事問題について発信中。連絡先：mogiseka.com

図解（ずかい） ニュースの"なぜ？"は世界史（せかいし）に学（まな）べ！

2020年2月20日　初版第1刷発行

著　者	茂木 誠
発行者	小川 淳
発行所	SBクリエイティブ株式会社 〒106-0032　東京都港区六本木2-4-5 電話：03-5549-1201（営業部）

装　幀	山之口 正和（OKIKATA）
本文デザイン	荒井 雅美（トモエキコウ）
組　版	弓手 綾子（ふみぐら社デザイン室）
図版制作	荒井 雅美／内田 剛
写　真	共同通信イメージズ
編集協力	弓手 一平（ふみぐら社）
編集担当	坂口 惣一
印刷・製本	三松堂株式会社

本書をお読みになったご意見・ご感想を下記URL、
または左記QRコードよりお寄せください。
https://isbn2.sbcr.jp/05216/

落丁本、乱丁本は小社営業部にてお取り替えいたします。定価はカバーに記載されております。
本書の内容に関するご質問等は、小社学芸書籍編集部まで必ず書面にてご連絡いただきますようお願いいたします。

ISBN 978-4-8156-0521-6